66 GRAMMATIK SPIELE

DEUTSCH
ALS FREMDSPRACHE

herausgegeben von
Mario Rinvolucri und Paul Davis

übersetzt und bearbeitet von
Barbara Huter und Susanne Schauf

Ernst Klett Sprachen
Stuttgart

66 Grammatikspiele Deutsch (DaF)

herausgegeben von Mario Rinvolucri
und Paul Davis

438.
2421
DEU

1. Auflage A 1 ^{9} ^{8} ^{7} | 2008 2007 2006
Alle Drucke dieser Auflage können im Unterricht nebeneinander benutzt werden, sie sind untereinander unverändert. Die letzte Zahl bezeichnet das Jahr dieses Druckes.
© Ernst Klett Sprachen GmbH, Stuttgart 1999.
Alle Rechte vorbehalten.

Die Vervielfältigung der gekennzeichneten Seiten ist für den Unterrichtsgebrauch gestattet. Die Kopiergebühren sind im Preis enthalten.
Einbandgestaltung: Dieter Gebhardt.
Druck: Gutmann + Co., Talheim. Printed in Germany.
ISBN 3-12-768810-5

Die 66 Grammatikspiele sind folgenden Werken entnommen:
Grammar Games, Edited by Mario Rinvolucri,
© Cambridge University Press, 1992¹²: 1–11; 14–18; 20–23; 25; 27–30; 32–34; 36–39; 41; 43; 45–49; 51; 54–57; 59; 61; 65.
More Grammar Games, Edited by Paul Davis and Mario Rinvolucri, © Cambridge University Press, 1995: 12; 13; 19; 24; 26; 31; 35; 40; 42; 44; 50; 52; 53; 58; 60; 62-64; 66

Vorwort

Was finden Sie in diesem Buch?

Teil I dieser Sammlung enthält „klassische" Gesellschaftsspiele wie Monopoly oder Dame, die so abgewandelt wurden, dass die Lerner beim Spielen in der kleinen Gruppe sich gegenseitig – aber auch Ihnen – offenbaren, wie viel oder wie wenig Grammatikkenntnisse sie jeweils mitbringen.

Diese Spiele bilden einen Rahmen für die Beschäftigung mit einem bestimmten Grammatikphänomen, der auf verschiedenste Art und Weise ausgefüllt werden kann. Die hier vorgeschlagenen Strukturen sind nur Beispiele. Sie haben die Möglichkeit, das Spiel nach Belieben abzuwandeln.

Bei diesen Spielen setzen sich die Lerner bewusst mit Grammatik auseinander und sind aufgefordert, gezielt darüber nachzudenken, ob etwas falsch oder richtig ist.

Teil II ist eine Sammlung von Aktivitäten, die durch die Unterrichtsmethode des „Silent Way" inspiriert sind; hier ist es die Aufgabe der Lerner, Sätze und Textabschnitte zu rekonstruieren, wobei sie zusammenarbeiten und nicht im Wettbewerb zueinander stehen. Als Kursleiter/in sind Sie aufgefordert, völlig stumm zu bleiben und allenfalls, wenn nötig, ein stummes Feedback zu geben. Ihr produktives Schweigen setzt bei den Lernern eine Menge Aktivität frei und gibt Ihnen die Möglichkeit, die Lerner in Ruhe zu beobachten.

Der durchschnittliche Sprechanteil eines europäischen Lehrers an einer Unterrichtsstunde beträgt 60–70%. Bei den Grammatikspielen dieser Gruppe wird sich Ihr Sprechanteil auf weniger als 5% der Übungszeit reduzieren.

Die Aufgaben von **Teil III** entfernen sich von der kognitiven Grammatikarbeit; die Lerner werden hier angeregt, Äußerungen über sich selber oder über Personen, die ihnen nahestehen, zu machen und gleichzeitig vorgegebene Strukturen zu verwenden. Dabei konzentrieren sie sich auf den Inhalt ihrer Aussagen, während Sie als Kursleiter/in auf die korrekte Form achten.

Im Mittelpunkt von **Teil IV** stehen fantasievolle Aktivitäten, die meist aus der Theaterpädagogik stammen und mit körperlicher Bewegung verbunden sind. Sie kommen insbesondere dem kinästhetischen Lerntyp entgegen, der in unserer Kultur lange vernachlässigt wurde. Vor allem bringen sie

aber eine müde Gruppe wieder in Schwung oder tragen dazu bei, überschüssige Energie auf ein Lernziel zu konzentrieren.

Teil V enthält u.a. Grammatikaktivitäten mit vorhandenen oder imaginierten (Sätzen und) Texten sowie Übungen zur Bewusstmachung struktureller Unterschiede zwischen dem Deutschen und der Muttersprache der Lerner.

Welches Lernniveau wird vorausgesetzt?

Bei jeder Aktivität wird ein Niveau durch ★ bis ★★★★ angegeben, das sich auf die behandelte Struktur bezieht. Vielfach können Sie durch die Wahl eines anderen Lernziels den Schwierigkeitsgrad der Übung herauf- oder herabsetzen.

★ bedeutet, dass die Übung innerhalb des ersten Lernjahrs eingesetzt werden kann, d.h. parallel zur ersten Hälfte des ersten Bandes eines (zweibändigen) Lehrwerks. Mit
★★ gekennzeichnete Übungen sind für das zweite Lernjahr vorgesehen (zweiter Teil des ersten Lehrbuchbandes);
★★★ entsprechen dem Lernniveau des dritten und vierten Lernjahres (zweiter Band des Lehrwerks), während
★★★★ an Übungen vergeben wurden, die in sogenannten Nachzertifikats- oder Konversationskursen sinnvoll eingesetzt werden können.

Wie passen die Spiele in Ihre Unterrichtseinheit?

Sie sind nicht nur als Übungen zur „Erholung" oder für die letzte Stunde vor den Ferien gedacht, sondern können und sollen zentraler Bestandteil des Lernprozesses sein. Folgende drei Einsatzmöglichkeiten bieten sich an:
a) bevor Sie eine neue Struktur einführen, um besonders bei heterogenen Gruppen herauszufinden, welche Kenntnisse in diesem Bereich bereits verstreut vorhanden sind;
b) nachdem Sie eine neue Struktur eingeführt haben, um festzustellen, wie viel die Lerner behalten haben;
c) zur Wiederholung eines bestimmten Grammatikbereichs.

Muss Grammatik ernst sein?

Grammatik ist beim Erwerb einer Fremdsprache so wichtig, dass die Lerner sehr viel Energie auf ihre Beherrschung verwenden müssen. Eine Möglichkeit, diese Energie zu bündeln, sind Spiele. Beim Spielen werden die Lerner Subjekt des Unterrichts, in dem sie sonst allzu oft nur Objekt sind. Spaß und Ernst schließen einander nicht aus, denn der Spaß beim Spielen setzt Energie frei, um das ernste Ziel zu erreichen.

Dürfen die Lerner fehlerhafte Sätze lesen?

Bei verschiedenen Aktivitäten müssen die Lerner darüber befinden, ob ein Satz grammatikalisch korrekt oder falsch ist; das bedeutet, dass sie mit einer Reihe von fehlerhaften Sätzen konfrontiert werden.

Es ist umstritten, ob Lerner etwas Falsches gedruckt sehen sollen, da sie sich den Fehler einprägen könnten. Diese Gefahr besteht bei den Grammatikspielen nicht, denn die Lerner sind aufgefordert, sich über die Korrektheit eines jeden Satzes ein sehr bewusstes Urteil zu bilden, sie werden sich diese Sätze nicht unreflektiert aneignen.

Welche Vorbereitung ist nötig?

Die meisten Aktivitäten sind ohne oder mit geringer Vorbereitung durchführbar, die sich auf das Mitbringen von Kärtchen oder Würfeln oder auf das Kopieren einer vorhandenen Kopiervorlage beschränkt. Viele der Materialien lassen sich, wenn Sie sie einmal kopiert, ausgeschnitten und eventuell aufgeklebt haben, immer wieder verwenden. Nur wenn Sie die vorgeschlagenen Spiele auf andere Lernziele ausdehnen wollen, erfordert das etwas mehr Vorbereitung.

Vier Vorzüge der Grammatikspiele

1. Die Lerner übernehmen selber Verantwortung für ihr Grammatikverständnis.
2. Der Kursleiter hat die Möglichkeit, etwas über den Kenntnisstand seiner Lernergruppe zu erfahren, ohne selber Mittelpunkt der Aufmerksamkeit zu sein.
3. Ernste Arbeit findet in spielerischem Kontext und aufgelockerter Atmosphäre statt, die man eigentlich mit Grammatikarbeit gar nicht in Verbindung bringt. So zieht die Lokomotive „Spiel" den Grammatik-Zug.
4. Alle sind gleichzeitig und intensiv am Unterrichtsgeschehen beteiligt.

Inhaltsverzeichnis

I. Spiele mit Wettbewerbscharakter

II. Kooperative Spiele rund um den Satzbau

III. Grammatik und persönliche Erfahrung

"

IV. Grammatik mit Theatertechniken

V. Vermischtes

I. Spiele mit Wettbewerbscharakter

1 Unvollständige Sätze

GRAMMATIK:	Passiv
NIVEAU:	★ ★ ★
DAUER:	15 Min.
MATERIAL:	Eine Kopie der „Sätze ohne Anfang" sowie eine Kopie der „Satzanfänge" für jede Dreiergruppe

VERLAUF:

1. Lassen Sie Dreiergruppen bilden und verteilen Sie die Blätter (Kopiervorlage 1, erster Teil). Fordern Sie die Lerner auf, um die Wette nach passenden Anfängen für die 14 unvollständigen Sätze zu suchen, und geben Sie ihnen sieben Minuten Zeit, um die Satzanfänge einzutragen.
Es handelt sich jeweils um eine Sportart, in einigen Fällen ist es jedoch nötig, den bestimmten Artikel oder eine Präposition mit Artikel voranzustellen.
Achtung: Die vorgeschlagenen Beispiele setzen eine gewisse Vertrautheit mit den verschiedenen Sportarten voraus. Wenn sich Ihre Lerner dafür nicht interessieren, sollten Sie Sätze aus einem anderen Themenbereich wählen.

2. Nach Ablauf der Zeit verteilen Sie die Blätter mit den Satzanfängen (Kopiervorlage 1, zweiter Teil) an jeweils eine Person pro Gruppe. Bitten Sie diese Lerner, die ja nun die Lösung kennen, zu einer anderen Gruppe zu gehen und dort jeden richtig vervollständigten Satz mit einem Punkt zu bewerten.

3. Abschließend nennt jede Gruppe die von ihr erreichte Punktezahl; Zweifelsfälle werden gemeinsam besprochen.

VARIANTE:

Man kann beispielsweise auch die Aufgabenstellung umkehren und Satzanfänge vorgeben, die von den Lernern zu vollständigen Sätzen ergänzt werden müssen. Im vorliegenden Fall sind die Beispiele dem Themenbereich „Küche" entnommen. (Kopiervorlage 2).

Hinweis: Mit dieser Übung eignen sich die Lerner eine Struktur an – in diesem Fall die Passivkonstruktion – indem sie sie erst leise, dann laut lesen und darüber nachdenken. Diese Übung erleichtert die aktive Verwendung der Struktur in einem späteren Lernstadium.

Idee: Mike Lavery, *Active viewing* (Modern English Publications 1984)

9

_____ wird von zwei oder vier Personen auf einem Sand- oder Rasenplatz gespielt.

_____ wird von zwei Spielern auf einem Brett gespielt und erfordert viel Konzentration.

_____ wird im Fernsehen von Millionen Zuschauern verfolgt.

_____ wird als die „schnellste Ballsportart der Welt" bezeichnet.

_____ ist ein Wettlauf bei Olympischen Spielen.

_____ ist ein beliebter Sport, der im Winter im Gebirge betrieben wird.

_____ wird mit weißen und schwarzen Steinen gespielt.

_____ wird mit einem Schläger und einem weißen Ball auf dem Rasen gespielt.

_____ wird über eine Strecke von 42 Kilometern gelaufen.

_____ werden Laufen, Schwimmen und Rad fahren miteinander kombiniert.

_____ wird nicht nur sportlichens Können, sondern auch Musikalität benötigt.

_____ wird in Frankreich oft auf der Straße gespielt, in Deutschland eher am Strand.

_____ wird nicht nur die Weite des Sprungs, sondern auch die Haltung bewertet.

_____ werden die Spieler häufig und nach kurzer Zeit ausgewechselt.

✂ -

Unvollständige Sätze – Satzanfänge (eine Kopie für je eine Person aus jeder Dreiergruppe)

Tennis ...	Golf ...
Schach ...	Der Marathonlauf ...
Fußball ...	Beim Triathlon ...
Tischtennis ...	Für das Eiskunstlaufen ...
Der Hundertmeterlauf ...	Boccia ...
Skifahren ...	Beim Skispringen ...
Dame ...	Beim Eishockey ...

Trockener Weißwein _____

Genever _____

Pellkartoffeln _____

Deutsches Bier _____

Rote Grütze _____

Apfelstrudel _____

Pommes frites _____

Reibekuchen _____

Münchner Weißwurst _____

Bowle _____

Sauerbraten _____

Das echte Wiener Schnitzel _____

Mozartkugeln _____

Kartoffelsalat _____

- ✂

Unvollständige Sätze – Satzenden (eine Kopie für je eine Person aus jeder Dreiergruppe)

… wird häufig zu Fisch serviert.

… wird aus Kartoffeln gebrannt.

… werden mit der Schale gekocht.

… wird in die ganze Welt exportiert.

… wird aus verschiedenen Beeren gemacht.

… wird oft mit Vanillensoße serviert.

… werden in heißem Öl frittiert.

… werden aus geriebenen Kartoffeln gemacht.

… sollte nur am Vormittag gegessen werden.

… wird aus Wein, Sekt und Früchten gemacht.

… wird vor allem im Rheinland gegessen.

… wird aus Kalbfleisch gemacht.

… werden in Österreich hergestellt.

… wird gerne mit Würstchen gegessen.

2 Tris

GRAMMATIK:	Unregelmäßige Partizipien, Perfekt mit *haben* und *sein*
NIVEAU:	★ ★
DAUER:	15 Min.
MATERIAL:	Keines

VERLAUF:

1. Teilen Sie die Gruppe in Team A und Team B. Zeichnen Sie eine Tabelle mit neun Feldern an die Tafel, und erläutern Sie die Spielregeln:

Ein Mitglied von Team A zeichnet ein Kreuz in eines der Felder; anschließend zeichnet ein Mitglied von Team B einen Kreis in ein anderes Feld. Ziel ist es, eine Reihe von drei Feldern in beliebiger Anordnung (horizontal, vertikal oder diagonal) mit dem Symbol des eigenen Teams zu belegen.

Bei diesem Grammatikspiel kann man die Felder aber nicht einfach mit Kreuzen oder Kreisen belegen, sondern man muss sie sich durch das Bilden korrekter Sätze „erobern".

2. Zeichnen Sie Tabelle A mit den unregelmäßigen Partizipien (s. unten) an die Tafel.

3. Die Mitglieder von Team A haben nun 20 Sekunden Zeit, einen Begriff auszuwählen und einen korrekten Satz damit zu bilden. Gelingt es ihnen, erhalten sie ein Kreuz im entsprechenden Feld. Über die Korrektheit des Satzes entscheidet Team B. Ist der Satz falsch, ohne dass Team B es merkt, greifen Sie korrigierend ein.

4. Anschließend ist Team B an der Reihe, ein Feld auszuwählen, während Team A über die Korrektheit des Satzes befindet. Nach und nach werden beide Teams gezwungen, unter den verbleibenden Wörtern diejenigen auszuwählen, die ihnen schwierig erscheinen.

Braucht ein Team länger als 20 Sekunden, um einen Satz zu bilden, kommt das andere Team an die Reihe.

VARIANTE:

Diese Spielidee lässt sich auch zum Einüben anderer Strukturen verwenden, z. B.
Präpositionen des Ortes (Tabelle B)
Präpositionen der Zeit (Tabelle C)
Partikeln (Tabelle D).

Idee: Julian Quail, Pilgrim School

A

genommen	geschrieben	gegangen
gefunden	verloren	gewesen
geblieben	gestanden	gelungen

C

nach	seit	vor
am	im	bis
um	in	von

B

am	auf	vor
in	neben	hinter
über	zwischen	unter

D

denn	schon	doch
mal	bloß	eben
eigentlich	einfach	ruhig

3 Grammatik-Auktion

GRAMMATIK:	Vermischte Strukturen
NIVEAU:	★ ★
DAUER:	50 Min.
MATERIAL:	Ein kleiner Hammer
	Kopie der „Auktionsliste" für jeweils zwei Lerner

VERLAUF:

1. Erkundigen Sie sich bei den Lernern, ob sie schon einmal bei einer Versteigerung waren. Fragen Sie gegebenenfalls nach näheren Details, und führen Sie dabei das entsprechende Vokabular ein, z. B. *Versteigerung, ein Gebot abgeben, den Zuschlag bekommen, Auktionator, Hammer, verkauft!*

2. Gearbeitet wird in Zweiergruppen. Geben Sie jedem Paar eine Kopie der „Auktionsliste" (Kopiervorlage 3) mit dem Hinweis, dass das Blatt richtige und falsche Sätze enthält.

Bei der nun folgenden Versteigerung geht es darum, nur richtige Sätze zu erwerben. Sagen Sie den Lernern, dass jedes Paar für die Ersteigerung von Sätzen 10.000 Euro zur Verfügung hat. In die Spalte *Gebot* tragen die beiden Partner den Betrag ein, den sie für den jeweiligen Satz auszugeben bereit sind. Die Gesamtsumme darf 10.000 Euro nicht überschreiten. Ziel der „Bieter" wird es sein, eine möglichst große Anzahl von richtigen Sätzen für einen möglichst geringen Geldbetrag zu erwerben.

Während die Lerner die Sätze prüfen und besprechen, sollten Sie keinerlei Hilfestellung geben. Es ist Sache der jeweiligen Zweiergruppe, sich für „richtig" oder „falsch" zu entscheiden.

3. Bevor Sie die Versteigerung beginnen, teilen Sie den Lernern mit, dass Sie keine Gebote unter 50 Euro entgegennehmen.

4. Beginnen Sie dann die Versteigerung:
a) Lesen Sie den ersten Satz einfühlsam und ausdrucksvoll vor, auch wenn er fehlerhaft ist. Fordern Sie dann die Lerner auf, Gebote zu machen.
b) Halten Sie ein zügiges Tempo ein, sprechen Sie schnell, und versuchen Sie, die Atmosphäre einer lebhaften Auktion zu vermitteln.
c) Wenn Sie z. B. ausrufen: *tausend, tausend-*

fünfzig, tausendeinhundert zum Ersten, zum Zweiten und zum ... Dritten!, seien Sie bereit, Gebote im letzten Augenblick noch anzunehmen.
d) Achten Sie darauf, dass die Lerner den Namen des Käufers und den Auktionspreis in die Spalte *Zuschlag* eintragen, sobald jeweils ein Satz erworben ist.
e) Sagen Sie an dieser Stelle den Lernern, ob der Satz richtig oder falsch ist, und stellen Sie ihn gegebenenfalls richtig. Tun Sie dies jedoch, ohne sich dabei länger aufzuhalten und ohne den Rhythmus des Spiels zu stören. Grammatikalische Erklärungen sind zu diesem Zeitpunkt fehl am Platz und sollten erst im Anschluss an das Spiel behandelt werden.
f) Beginnen Sie die Versteigerung mit dem ersten Satz, ändern Sie dann aber die Reihenfolge, das erhöht die Spannung.
g) Das Paar, das die meisten richtigen Sätze zu den günstigsten Bedingungen erworben hat, ist Sieger.

5. Nach Abschluss des Spiels klären Sie die grammatikalischen Fragen, die für die Lerner während der Versteigerung aufgetaucht sind.

VARIANTE 1:
Wenn Sie die „Auktion" ein zweites Mal mit den Lernern durchführen, können Sie die Rolle des Auktionators einem oder mehreren Lernern übertragen. Bei einer Klasse von 30 Personen können Sie beispielsweise drei Gruppen mit jeweils neun „Bietern" und je einem „Auktionator" bilden.

Um zu vermeiden, dass Gruppe A mithört, was in Gruppe B und C geschieht, benötigen Sie in diesem Fall drei verschiedene Versionen von Satzbeispielen. Außerdem muss jeder Versteigerer eine Liste der richtigen Sätze zur Verfügung haben.

Wenn Kleingruppen gebildet werden, ist es natürlich sinnvoll, dass nicht in Paaren, sondern einzeln gearbeitet wird.

VARIANTE 2:
Sie können auch Grammatikprobleme versteigern, die sich aus einer schriftlichen Arbeit ergeben haben. In diesem Fall korrigieren Sie die Arbeiten nicht, sondern Sie entnehmen daraus 12 – 15 Sätze mit Grammatikfehlern und fertigen daraus eine Liste, wobei Sie ca. die Hälfte der Sätze fehlerhaft belassen und die andere Hälfte zu einem korrekten

Deutsch umformulieren. Auf diese Weise erhalten Sie eine „Auktionsliste", die den realen Grammatikproblemen Ihrer Lerner entspricht. Führen Sie das Spiel wie oben angegeben durch, und verteilen Sie dann die nicht korrigierten Arbeiten. Die Lerner formieren sich paarweise und korrigieren jeweils die Arbeit der Partners.

Lösungen zur „Auktionsliste" (Kopiervorlage 3):

Die Sätze 1, 2, 6, 8, 9, 11, 13, 15 und 16 sind richtig. Die anderen Sätze müssen korrekterweise so lauten:

3. Wenn du mir helfen willst, kannst du die Gläser und den Sekt schon mal auf den Tisch stellen.

4. Auch mein Mann wünscht Ihnen einen schönen Urlaub.
5. Gestern habe ich Anne mit ihrem neuen Freund getroffen.
7. Ich möchte Sie gern zum Kaffee einladen. Passt es Ihnen am Samstag?
10. Normalerweise laufe ich ins Büro, aber heute bin ich mit dem Bus gefahren.
12. Es ist noch genug Platz, setzen Sie sich doch hin.
14. Der Film war sehr interessant, aber leider habe ich nicht alles verstehen können.

Idee: Maury Smith, *A practical guide to values clarification* (University Associates, La Yolla, California 1977)

	Gebot	Zuschlag
1. Für die Prüfung wünsche ich dir viel Erfolg.	_____	_____
2. Wann kann ich Sie wieder anrufen?	_____	_____
3. Wenn du mir helfen willst, kannst du die Gläser und den Sekt schon mal auf den Tisch legen.	_____	_____
4. Auch mein Mann wünscht Sie einen schönen Urlaub.	_____	_____
5. Gestern habe ich Anne mit seinem neuen Freund getroffen.	_____	_____
6. Kann ich Ihnen helfen?	_____	_____
7. Ich möchte Ihnen gern zum Kaffee einladen. Passt es Ihnen am Samstag?	_____	_____
8. Euer Kuchen hat mir wirklich gut geschmeckt.	_____	_____
9. Habt ihr ihn selbst gebacken oder beim Bäcker gekauft?	_____	_____
10. Normalerweise laufe ich ins Büro, aber heute habe ich mit dem Bus gefahren.	_____	_____
11. Der Rinderbraten ist dir wirklich gut gelungen.	_____	_____
12. Es ist noch genug Platz, hinsetzen Sie sich doch.	_____	_____
13. Trinken Sie keinen Wein? – Doch, aber heute nicht.	_____	_____
14. Der Film war sehr interessant, aber leider habe ich nicht alles verstehen gekonnt.	_____	_____
15. Ich fahre nicht gut Ski. Als Kind habe ich es besser gekonnt, weil ich weniger Angst hatte.	_____	_____
16. Darf ich dich etwas fragen?	_____	_____

4 Schlangen und Leitern

GRAMMATIK:	Zeitangaben
NIVEAU:	★ ★
DAUER:	30–40 Min.
MATERIAL:	Ein Spielbrett pro Vierergruppe
	Ein Würfel pro Vierergruppe

VERLAUF:

1. Lassen Sie Vierergruppen bilden und geben Sie jeder Gruppe ein Spielbrett (Kopiervorlage 4) und einen Würfel. Die Mitspieler der einzelnen Gruppen sollten so sitzen, dass jeder das Spielbrett gut sehen und die darauf stehenden Sätze lesen kann.

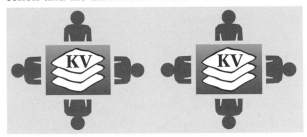

Jeder Mitspieler setzt eine Münze als Spielfigur auf das Startfeld START.

2. Ziel ist es, das Spielfeld vom START zum ZIEL möglichst schnell zu durchlaufen. Auf manchen Spielfeldern stehen Sätze, von denen einige korrekt, andere grammatikalisch falsch sind. Erklären oder zeigen Sie den Spielverlauf:

a) Der erste Spieler würfelt und rückt um die gewürfelte Augenzahl vor. Trifft er auf ein Feld mit einem Satz, so muss er entscheiden, ob dieser richtig oder falsch ist, und ihn, wenn er falsch ist, korrigieren.
   Die anderen Mitspieler bilden die Jury und befinden über die Richtigkeit seiner Entscheidung. Wenn alle drei oder mindestens zwei von ihnen die Auffassung des Spielers teilen, darf er drei Felder vorrücken. Ist die Jury mehrheitlich anderer Ansicht, muss er drei Felder zurückgehen. Sobald er auf ein leeres Feld kommt, ist der nächste Spieler an der Reihe.
   Wer auf ein Feld am Fuße einer Leiter gelangt, darf diese hinaufsteigen; wer auf dem Kopf einer Schlange landet, muss bis zu ihrem Schwanz hinunterrutschen.
b) Sieger ist, wer zuerst am ZIEL ankommt.
c) Landet ein Spieler auf einem Feld, dessen Satz bereits behandelt wurde, rückt er automatisch vor

bis zum nächsten Feld, auf dem ein noch nicht besprochener Satz steht.
d) Wenn ein Spieler meint, dass die anderen in Bezug auf ein grammatisches Phänomen im Unrecht sind, muss er die Nummer des entsprechenden Feldes notieren und nach Abschluss des Spiels den Kursleiter fragen.

3. Verfolgen Sie das Spiel aufmerksam und achten Sie darauf, ob die Lerner einer Gruppe einen falschen Satz einhellig als richtig beurteilen oder umgekehrt. Unterbrechen Sie das Spiel in diesem Fall nicht, und sagen Sie auch nichts, sondern machen Sie sich nur eine Notiz für die nachfolgende Besprechung. Sicher werden die Lerner Sie im Verlauf des Spiels um Ihre Stellungnahme bitten, wenn sie sich über einen bestimmten Satz nicht einig werden. Erklären Sie, dass darüber *nach* dem Spiel diskutiert wird. Bitten Sie die Lerner, die Spielregeln einzuhalten; unterlassen Sie es unbedingt, in das Spiel einzugreifen, denn sonst droht es zu scheitern. Sein Sinn liegt gerade darin, dass die Lerner sich ihre eigenen Kriterien für grammatische Korrektheit bewusst machen und diese anderen gegenüber verteidigen.

4. Wenn die meisten Gruppen das Spiel beendet haben, brechen Sie ab.
   Fragen Sie dann nach den Sätzen, über die sich die Mitspieler nicht einigen konnten. Nennt ein Lerner einen umstrittenen Satz, beauftragen Sie eine andere Gruppe das Problem zu lösen, statt selber einzugreifen, denn oft haben die anderen die richtige Antwort schon gefunden. Antworten Sie nur dann selber, wenn es nicht anders geht.
   An dieser Stelle ist es angebracht, auch auf die Sätze zurückzukommen, die Sie sich während des Spielverlaufs notiert hatten.

VARIANTE 1:
Verteilen Sie ein leeres Spielbrett (Kopiervorlage 5) an jeweils ein Lernerpaar mit der Bitte, 16 schwierige grammatische Formen zusammenzustellen und 16 Sätze zu bilden, in denen diese Formen enthalten sind. Die Hälfte der Sätze soll korrekt, die andere Hälfte falsch sein.
Die Sätze werden in das leere Spielbrett eingetragen, wobei jedes zweite Feld frei bleibt. Gehen Sie umher und greifen Sie, wo nötig, helfend ein. In der nächsten Unterrichtsstunde können die Lerner dann das selbst gemachte Spiel spielen.

Korrigieren Sie die Hausaufgaben nicht, sondern wählen Sie daraus 16 Sätze mit Fehlern aus, die für Ihre Lerngruppe typisch sind. Korrigieren Sie die Hälfte der Sätze und tragen Sie die falschen und richtigen Sätze in das leere Spielbrett (Kopiervorlage 5) ein. Machen Sie für jede Vierergruppe eine Kopie.

Anstatt die Hausaufgaben zurückzugeben, laden Sie die Lerner nun ein, das Spiel zu spielen. Gehen Sie wie üblich nach Abschluss des Spiels auf Schwierigkeiten ein; verteilen Sie dann die unkorrigierten Hausaufgaben und bitten Sie die Lerner, sie aufmerksam zu lesen. So können sie ihre Fehler – zumindest einen Teil davon – selber finden.

Lösungen: Die fehlerhaften Sätze müssen – richtig gestellt – so lauten:

6 Wir wohnen seit 3 Jahren in Hamburg.
10 Vor einer Woche hatten wir ein schweres Gewitter.
16 Zu spät! Der Zug ist schon vor 5 Minuten abgefahren.
26 Ende Mai will sie uns wieder besuchen.
28 Vor ein paar Tagen habe ich mich stark erkältet.
34 Wir können uns in 2 Stunden im Café treffen.

Idee: Chris Sion, *Recipe book for tired teachers* (1984)

Nr. 4:
Schlangen und Leitern – Spielbrett (eine Kopie pro Vierergruppe)

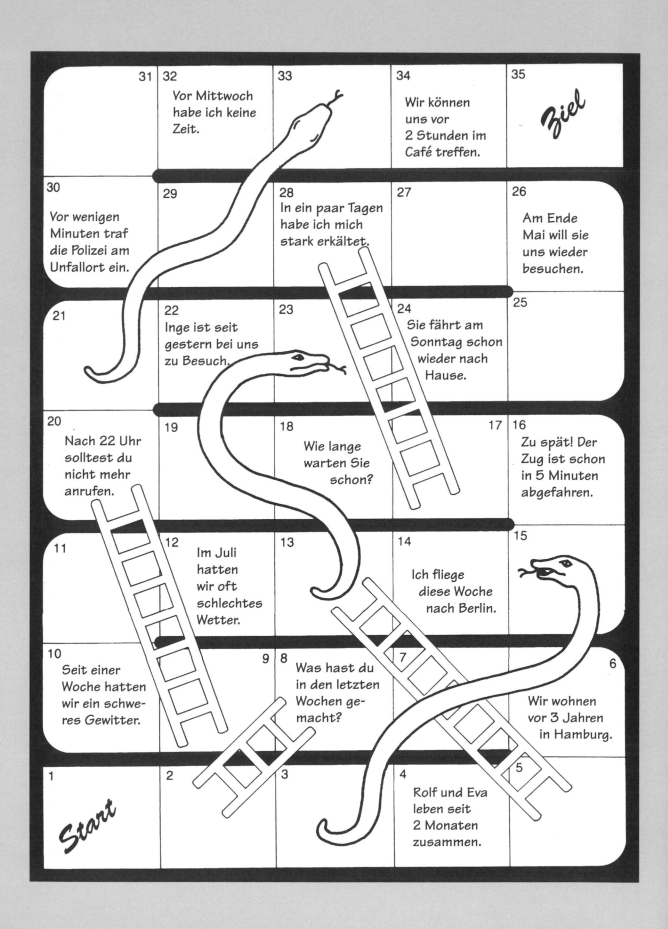

31

32 Vor Mittwoch habe ich keine Zeit.

33

34 Wir können uns vor 2 Stunden im Café treffen.

35 Ziel

30 Vor wenigen Minuten traf die Polizei am Unfallort ein.

29

28 In ein paar Tagen habe ich mich stark erkältet.

27

26 Am Ende Mai will sie uns wieder besuchen.

21

22 Inge ist seit gestern bei uns zu Besuch.

23

24 Sie fährt am Sonntag schon wieder nach Hause.

25

20 Nach 22 Uhr solltest du nicht mehr anrufen.

19

18 Wie lange warten Sie schon?

17 16 Zu spät! Der Zug ist schon in 5 Minuten abgefahren.

11

12 Im Juli hatten wir oft schlechtes Wetter.

13

14 Ich fliege diese Woche nach Berlin.

15

10 Seit einer Woche hatten wir ein schweres Gewitter.

9 8 Was hast du in den letzten Wochen gemacht?

7

6

1 Start

2

3

4 Rolf und Eva leben seit 2 Monaten zusammen.

5 Wir wohnen vor 3 Jahren in Hamburg.

Nr. 5:
Schlangen und Leitern – Spielbrett (eine Kopie pro Vierergruppe)

5 Wer ...?

GRAMMATIK: Präteritum, Modalverben
NIVEAU: ★★
DAUER: 20 Min.
MATERIAL: Eine Kopie des Fragebogens
pro Lerner

VERLAUF:

1. Stellen Sie sicher, dass die Lerner die Satzfragmente, die sie ergänzen sollen (Kopiervorlage 6), verstehen können, und erläutern Sie gegebenenfalls die neue Lexik.

2. Verteilen Sie die Blätter mit den Sätzen. Erklären Sie, dass es darum geht, innerhalb der Lerngruppe Personen zu finden, die diese Fragen bejahen können. Lerner A könnte z. B. Lerner B fragen: *Hast du im Juni Geburtstag?* Wenn B die Frage bejaht, trägt A den Namen von B an der entsprechenden Stelle des Blattes ein

Robert _____ hat im Juni Geburtstag.

und wendet sich mit einer anderen Frage an Lerner C.

3. Sieger ist, wer in der kürzesten Zeit die größte Menge unterschiedlicher Namen gesammelt hat.

4. Bitten Sie die Lerner aufzustehen und in der Klasse umherzugehen. Bemühen Sie sich um eine Atmosphäre wie auf einer Party bei Freunden, wo man auch kurz mit den verschiedensten Personen ins Gespräch kommt, und sorgen Sie für einen zügigen Ablauf, indem Sie auch selber umhergehen, Fragen stellen und Namen auf Ihrem Blatt notieren. Das Spiel regt die Lerner an, schnell zu sprechen und die Fremdsprache äußerst ungezwungen anzuwenden.

5. Lassen Sie zum Abschluss einen Kreis bilden und fragen Sie:
Wer hat im Juni Geburtstag?
Wer musste mit dem Zug zur Schule fahren?

VARIANTE:

Dieses Spiel ist auch gut geeignet, um das Präsens oder Perfekt zu üben, z. B.

Wer ...
_____ *spricht mehrere Fremdsprachen?*
_____ *treibt regelmäßig Sport?*
_____ *hat schon mal seine Schlüssel*
verloren?
_____ *hat sich schon mal das Bein*
gebrochen?

Hinweis: Achten Sie beim Erstellen des Fragenkatalogs darauf, dass ein gewisses Maß an Suche erforderlich ist, um eine Person zu finden, die die Frage bejaht.

Bemühen Sie sich, keine allzu scharfe Konkurrenzsituation aufkommen zu lassen und versuchen Sie, Konflikte zu vermeiden, die sich aus einer unterschiedlichen sozialen und wirtschaftlichen Situation der Lerner ergeben können.

Idee: Jim Brims und Gertrude Moskowitz

Name	Wer...?

_____   hat im Juni Geburtstag.

_____   ist an einem Sonntag geboren.

_____   wollte als Kind keinen Spinat essen.

_____   wollte als Kind keinen Mittagsschlaf halten.

_____   musste als Kind seine Schuhe putzen.

_____   hatte als Kind die Masern.

_____   musste Sonntagskleidung tragen.

_____   konnte mit 5 Jahren Rad fahren.

_____   musste in den Ferien für die Schule lernen.

_____   hatte einen Schulweg von mehr als einer Stunde.

_____   musste mit dem Zug zur Schule fahren.

_____   wollte Pilot oder Astronaut werden.

_____   durfte am Silversterabend nicht bis Mitternacht aufbleiben.

_____   wurde mit 12 Jahren beim Rauchen erwischt.

_____   konnte mit 18 Jahren Auto fahren.

_____   durfte das Auto seiner Eltern benutzen.

_____   möchte gern im Ausland leben.

6 Grammatik-Tennis

GRAMMATIK:	Partizip Perfekt, Gebrauch der Hilfsverben *haben* und *sein*
NIVEAU:	★
DAUER:	10 Min.
MATERIAL:	Keines

VERLAUF:

1. Bitten Sie zwei Lerner, sich vor der Klasse einander gegenüber hinzusetzen. Sie selber stehen an der Tafel und übernehmen die Rolle des Schiedsrichters und Sekretärs.

2. Das Match beginnt, indem Lerner A das Partizip Perfekt eines unregelmäßigen Verbs „serviert", z. B. *getrunken*.

Wenn A einen Fehler macht, also z. B. *getrinkt* sagt, geben Sie ihm eine zweite Chance (analog zum zweiten Aufschlag beim Tennis). Macht A wieder einen Fehler, so geht der Punkt an B; Sie nennen dann den Spielern und der Gruppe die korrekte Form und schreiben sie an die Tafel.

Anschließend ist B an der Reihe und bildet einen Beispielsatz, der das genannte Partizip ent-

hält. B hat nur einen „Ball", darf also keinen Fehler machen. Ist der Beispielsatz richtig, muß A anschließend den Infinitiv desselben Verbs „zurückspielen". Ist er falsch, nennen Sie wiederum die korrekte Form und schreiben sie an die Tafel.

3. Danach beginnt B mit dem „Aufschlag" und muss das Partizip Perfekt eines anderen unregelmäßigen Verbs nennen. Der „Aufschlag" ist immer ein Partizip Perfekt.

4. Jedesmal, wenn ein Fehler gemacht wird – mit Ausnahme des Aufschlags –, erhält der Gegner einen Punkt. Wer zuerst fünf Punkte hat, ist Sieger.

5. Bestimmen Sie nun zwei andere Spieler. Achten Sie darauf, dass die Partien zügig gespielt werden. Schreiben Sie die richtig genannten Verbformen nach und nach an die Tafel. Die „Zuschauer" dürfen während des Spiels auf keinen Fall eingreifen.

Idee: Anna Scher und C. Verall, *100 + ideas from drama* (Heinemann 1975)

7 Das Spiel ums Geld

GRAMMATIK:	Gegenseitiges Korrigieren
NIVEAU:	★ ★ ★
DAUER:	15–30 Min.
MATERIAL:	80–120 Münzen (10 pro Spieler einer Gruppe von 8–12 Lernern) Ein Blatt mit der Aufschrift „Der Redner hat Recht" Ein Blatt mit der Aufschrift „Der Herausforderer hat Recht"

VERLAUF:

1. Bitten Sie die Lerner, eine Gruppe von 8–10 Spielern zu bilden und sich in der Mitte des Unterrichtsraums um einen Tisch zu setzen oder sich dort im Kreis aufzustellen. Die anderen Lerner platzieren sich rund um den Spielerkreis, so dass sie beobachten können, was dort vorgeht. (Wenn die Gruppe nicht mehr als 10 Lerner umfasst, gibt es keine Zuschauer.)

2. Geben Sie jedem Spieler 10 Münzen, und legen Sie die beiden Blätter „Der Redner hat Recht" und „Der Herausforderer hat Recht" in die Mitte des von den Lernern gebildeten Kreises.

3. Erläutern Sie die Spielregeln:

a) Spieler A nennt seinem Mitspieler B ein Thema, über das er sprechen soll, z. B. Haustiere.

b) Spieler B beginnt, über das genannte Thema zu sprechen. Wenn ein anderer Mitspieler bemerkt, dass B einen Fehler gemacht hat, oder meint, einen Fehler gehört zu haben, darf er den Redner unterbrechen und sagen:

Er/Sie hat gesagt: „ ...". Das ist falsch. Er darf jedoch keinen Korrekturvorschlag machen.

c) Die anderen Mitspieler geben nun ihr Votum ab, indem sie eine Münze auf das Blatt „Der Redner hat Recht" oder auf das Blatt „Der Herausforderer hat Recht" legen. So muss jeder Stellung beziehen.

d) Danach geben Sie Ihr Urteil ab. Wenn der Redner Recht hatte, erhält er alle Münzen, die auf dem entsprechenden Blatt liegen; wenn der Herausforderer Recht hatte, erhält er die Münzen „seines" Blattes. Die Münzen auf dem jeweils anderen Blatt werden von Ihnen eingesammelt und aus dem Spiel genommen.

e) Wenn Sie entscheiden, dass der Herausforderer Recht hat, muss er den Fehler des Redners korrigieren. Gelingt ihm das, erhält er vom Redner zwei Münzen. Macht er einen Fehler, muss er zwei Münzen an den Redner abgeben.

f) Unabhängig davon, ob die Unterbrechung durch den Herausforderer berechtigt war oder nicht, fährt B fort, über das vorgegebene Thema zu sprechen. Nach einer zweiten Unterbrechung hört er auf und bestimmt einen anderen Redner und ein anderes Thema, mit dem das Spiel fortgesetzt wird.

g) Sieger ist, wer nach einer vereinbarten Zeit, z. B. 15 Minuten, die meisten Münzen besitzt.

Idee: Dieses Spiel ist eine Adaption der BBC Radiosendung „Just a Minute". Es geht aber auch auf eine Aktivität von Bernard Dufeu, Universität Mainz, zurück.

8 Grammatik-Monopoly

GRAMMATIK:	Präsens, Perfekt, Präteritum, Infinitiv, Konjunktiv II
NIVEAU:	★ ★ ★
DAUER:	30–40 Min.
MATERIAL:	Ein Spielbrett pro Vierergruppe Ein Würfel pro Vierergruppe Je ein Grammatikblatt für die 4 Hoteliers der Gruppe (es gibt vier Grammatikblätter)

VERLAUF:

1. Bilden Sie Vierergruppen und geben Sie jeder Gruppe ein Spielbrett (Kopiervorlage 7) und einen Würfel.

2. Verteilen Sie die vier Grammatikblätter für Hoteliers an jede Gruppe und geben Sie jedem Spieler eins. Er wird damit Besitzer der entsprechenden Hotels auf dem Spielbrett und darf das Blatt niemandem zeigen.

3. Bitten Sie die Lerner, eine Münze als Spielfigur zu nehmen und auf START zu setzen.

4. Erläutern Sie die Spielregeln:

a) Jeder Hotelier beginnt mit einem Kapital von 10.000 Euro auf seinem Konto. Es ist kein Bargeld im Umlauf, so dass jeder Spieler die Bewegungen auf seinem Konto notieren muss. Kommt ein Spieler auf einen Kontostand unter 10.000 Euro, muss er Konkurs anmelden und aus dem Spiel ausscheiden.

b) Ziel ist es, so viel Geld wie möglich anzusammeln und die anderen Mitspieler in den Konkurs zu treiben.

c) Zu Beginn würfelt Spieler X und rückt von START aus um die gewürfelte Augenzahl vor. Kommt er auf ein leeres Feld oder auf ein Feld mit einem Hotel, das ihm selber gehört, so geschieht nichts, und der nächste Spieler kommt an die Reihe.

Kommt Spieler X jedoch zu einem Hotel, das einem anderen Spieler gehört, z. B. „Hotel Perfekt", so liest der Hotelbesitzer einen der Sätze seiner Liste (Kopiervorlage 8) im Perfekt vor. Spieler X muss entscheiden, ob der Satz korrekt ist oder nicht. Der Hotelbesitzer sagt ihm, ob seine Entscheidung zutrifft. Hat X richtig entschieden, darf er gratis im Hotel bleiben; hat er sich geirrt, muss er die auf dem Hotel angegebene Summe bezahlen. Wenn X richtigerweise festgestellt hat, dass es sich um einen falschen Satz handelt, hat er die Möglichkeit, ihn zu korrigieren. Ist sein Korrekturvorschlag richtig, so muss der Hotelier ihm die Hälfte der auf dem Gebäude angegebenen Summe auszahlen.

d) Jedesmal, wenn ein Spieler das Feld START passiert, bekommt er 50 Euro gutgeschrieben.

Vergewissern Sie sich, dass die Lerner die Spielregeln verstanden haben. Die Hoteliers haben alle grammatischen Informationen, die sie benötigen, auf ihrem Blatt, daher sollten Sie sich aus jeglicher Diskussion zwischen den Hoteliers und den Gästen heraushalten. Die Lerner können Ihnen, wenn nötig, nach Abschluss des Spiels Fragen stellen. Dieses Spiel ist eine gute Möglichkeit, die Grammatikkenntnisse der Lerner zu überprüfen.

VARIANTE:

Die Blätter der Hoteliers können beliebige grammatische Strukturen, idiomatische Wendungen, Wortschatz etc. enthalten. Das Spiel lässt sich auf jedem Lernniveau einsetzen. Der Schwerpunkt dieser Aktivität liegt auf der Aneignung und dem korrekten Gebrauch grammatischer Strukturen.

Hinweis: Wahrscheinlich lässt sich das Monopoly am besten einsetzen, wenn es Sätze umfasst, die von den Lernern selber stammen, z. B. aus Hausaufgaben.

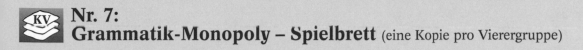

Nr. 7:
Grammatik-Monopoly – Spielbrett (eine Kopie pro Vierergruppe)

Zum Hotel Infinitiv über „Start"

Hotel Präteritum (2) 100 Euro

Hotel Präteritum (1) 100 Euro

Hotel Präsens (1) 100 Euro

Hotel Konjunktiv II (2) 200 Euro

Hotel Präsens (2) 75 Euro

Sie verlieren 100 Euro

Sie haben 200 Euro gewonnen.

Hotel Konjunktiv II (1) 200 Euro

Hotel Perfekt (1) 50 Euro

Hotel Infinitiv 200 Euro

START

Hotel Perfekt (2) 50 Euro

Hotel Perfekt (3) 75 Euro

Hotel Präsens (2)

Mein Sohn wächst so schnell, dass ihm keine Hose mehr passt.   richtig

Laufst du immer zu Fuß ins Büro oder nehmst du den Bus?   falsch
Richtig: Läufst du immer zu Fuß ins Büro oder nimmst du den Bus?

Seit wann trägst du eine Brille?   richtig

Else eintritt jetzt auch in unseren Sportverein.   falsch
Richtig: Else tritt jetzt auch in unseren Sportverein ein.

Hotel Perfekt (1, 2, 3)

Gestern Abend habe ich zu Hause geblieben und für die Prüfung gelernt.   falsch
Richtig: Gestern Abend bin ich zu Hause geblieben und habe für die
Prüfung gelernt.

Zuerst habe ich die unregelmäßigen Verben wiederholt.   richtig

Hast du wirklich alle Formen können?   falsch
Richtig: Hast du wirklich alle Formen gekonnt?

Wann hast du das letzte Mal mit deinen Eltern getelefoniert?   falsch
Richtig: Wann hast du das letzte Mal mit deinen Eltern telefoniert?

Peter ist nicht mit zum Fußballspiel gegangen, er hatte eine Verabredung.   richtig

Hat der neue Englischkurs für Anfänger schon begannen?   falsch
Richtig: Hat der neue Englischkurs für Anfänger schon begonnen?

Die Schrift war zu klein. Ich habe sie nicht lesen können.   richtig

Hast du alles allein bezahlen gemusst?   falsch
Richtig: Hast du alles allein bezahlen müssen?

Ich habe mich für die Reise nach Kopenhagen entschieden.   richtig

Warum hast du dich so plötzlich für die Abreise entschlossen?   falsch
Richtig: Warum hast du dich so plötzlich für die Abreise entschieden?

Hotel Infinitiv

Es hat ihm bei uns gut gefallen, er will nächstes Jahr wieder kommen.   richtig

Weil wir die Schweizer Berge lieben, planen wir nächstes Jahr
wieder kommen.   falsch
Richtig: Weil wir die Schweizer Berge lieben, planen wir nächstes
Jahr wieder zu kommen.

Ich habe nicht daran gedacht einen Regenschirm mitzunehmen.   richtig

Wir freuen uns, Sie bald wieder bei uns begrüßen dürfen.   falsch
Richtig: Wir freuen uns, Sie bald wieder bei uns begrüßen zu dürfen.

Du solltest nicht alle unbekannten Wörter im Wörterbuch nachzusehen.   falsch
Richtig: Du solltest nicht alle unbekannten Wörter im Wörterbuch
nachsehen.

Ich habe oft Streit mit meiner Schwester, sie meint immer das letzte
Wort haben zu müssen.   richtig

Hotel Konjunktiv II (1)

Wenn es geregnet hätte, würden wir zu Hause bleiben.   falsch
Richtig: Wenn es geregnet hätte, wären wir zu Hause geblieben.

Was hättest du an meiner Stelle getan?   richtig

Wenn es nicht so teuer wäre, würde ich eine Reise nach China machen.   richtig

Wenn die Zugfahrt nicht so weit wäre, besuche ich dich öfter am
Wochenende.   falsch
Richtig: Wenn die Zugfahrt nicht so weit wäre, würde ich dich öfter am
Wochenende besuchen.

Hotel Konjunktiv II (2)

Wenn er nicht so aggressiv wäre, könnte man besser mit ihm
zuammenarbeiten.   richtig

Was würdest du tun, wenn der Zug nicht gewartet hätte?   falsch
Richtig: Was hättest du getan, wenn der Zug nicht gewartet hätte?

Ich hätte nichts dagegen, mich einfrieren zu lassen, wenn es ganz sicher
wäre, dass ich wieder aufwachen würde.   richtig

Wenn wir direkt vor dem Theater einen Parkplatz gefunden hätten, wären
wir nicht zu spät gekommen.   richtig

Nr. 11:
Grammatik-Monopoly – Hotelier D (für jeweils eine Person in jeder Vierergruppe)

Hotel Präsens (1)

Darf ich Sie um einen Gefallen bitten? — richtig

Es hängt am Wetter ab, ob wir morgen eine Wanderung machen. — falsch
Richtig: Es hängt vom Wetter ab, ob wir morgen eine Wanderung machen.

Dieser Zug haltet in jedem kleinen Ort. — falsch
Richtig: Dieser Zug hält in jedem kleinen Ort.

Bratkartoffeln gefallen mir nicht, ich esse lieber Nudeln. — falsch
Richtig: Bratkartoffeln mag ich nicht, ich esse lieber Nudeln.

Bis morgen müssen wir die Entscheidung nehmen. — falsch
Richtig: Bis morgen müssen wir die Entscheidung treffen/fällen.

Haben Sie ein Zimmer vielleicht frei? — falsch
Richtig: Haben Sie vielleicht ein Zimmer frei?

Hotel Präteritum (1)

Als Kinder durften wir auf der Straße spielen, denn es war nicht so gefährlich wie heute. — richtig

Hallo Beate! Schön, dass du wieder mal in München bist. Wann kamst du an? — falsch
Richtig: Hallo Beate! Schön, dass du wieder mal in München bist. Wann bist du angekommen?

Als alles nicht half, wendete er sich an die Polizei. — falsch
Richtig: Als alles nicht half, wandte er sich an die Polizei.

Hatten Sie eine angenehme Reise? — richtig

Hotel Präteritum (2)

Er einlud mich zu einem Kaffee, aber ich hatte leider keine Zeit. — falsch
Richtig: Er lud mich zu einem Kaffee ein, aber ich hatte leider keine Zeit.

Als unsere Tochter Fieber hatte, mochte sie nichts essen. — richtig

Im Freibad schwommen wir fast eine Stunde lang und sprungen auch vom Brett. — falsch
Richtig: Im Freibad schwammen wir fast eine Stunde lang und sprangen auch vom Brett.

9 Grammatisches Damespiel

GRAMMATIK:	Bestimmter und unbestimmter Artikel
NIVEAU:	★
DAUER:	30–40 Min.
MATERIAL:	Ein Spielbrett für jeweils zwei Lerner
	Ein Blatt mit Substantiven für jeweils zwei Lerner (schwarze Spielsteine)
	Ein Blatt mit Artikeln für jeweils zwei Lerner (weiße Spielsteine) – möglichst auf dünnen Karton aufkleben

VERLAUF:

1. Die Lerner formieren sich zu Zweiergruppen. Geben Sie jedem Paar ein Spielbrett und ein Blatt mit weißen und schwarzen „Spielsteinen" (Kopiervorlage 12).

2. Die Spieler zerschneiden und falten die Felder in der angezeigten Weise und erhalten so ihre Spielsteine. (Wenn Sie am Ende des Spiels die „Spielsteine" einsammeln und in Briefumschlägen aufbewahren, können Sie sie das nächste Mal wieder verwenden.)

3. Bitten Sie die Spieler, die schwarzen Spielsteine auf die grauen Felder auf einer Seite des Spielbretts und die weißen Steine auf die grauen Felder der gegenüberliegenden Seite zu setzen.

4. Fragen Sie nun die Spieler, ob sie die Regeln des Damespiels kennen. Lassen Sie sie möglichst von einem Lerner erläutern oder erklären Sie sie selbst in einfachen Worten:
   Es geht darum, die Spielsteine des Gegners zu „fressen". Dies ist dann möglich, wenn ein weißer und ein schwarzer Spielstein auf zwei benachbarten Feldern zu stehen kommen. Dabei kann der Spielstein, der keine Spielsteine des eigenen Teams oder den Rand des Spielbretts hinter sich hat, gefressen werden.

Der Spieler mit den weißen Steinen eröffnet das Spiel. Er rückt mit seinem Stein diagonal ein Feld in Richtung Mitte vor, der Gegner reagiert mit einem entsprechenden Zug, den er ebenfalls in Richtung Mitte ausführt, denn es geht u.a. auch darum, auf die jeweils andere Spielbrettseite zu gelangen. Gelingt dies einem Spielstein, wird er zur DAME und bekommt einen Spielstein derselben Farbe aufgesetzt, der zuvor vom Gegner gefressen worden war. Die DAME genießt nun gegenüber den anderen Steinen den Vorteil, dass sie sich nicht nur diagonal, sondern nach allen Richtungen und über mehrere Felder hin bewegen darf, wobei sie aber immer auf den grauen Feldern verweilen muss. Außerdem kann sie von den normalen Spielsteinen nicht gefressen werden. Sieger ist, wer alle gegnerischen Spielsteine gefressen hat.

5. Fügen Sie folgende Regel hinzu: Ein weißer Spielstein kann nur dann einen schwarzen fressen – und umgekehrt –, wenn die beiden zusammenpassen. Beispielsweise kann der Spielstein *der* dem Spielstein *Haus* nichts anhaben, der Spielstein *das* ist für ihn hingegen lebensgefährlich.

6. Beginnen Sie nun das Spiel. Wenn Sie bemerken, dass die Spielregeln nicht vollends beherrscht werden, helfen Sie den einzelnen Paaren.

7. Klären Sie gegebenenfalls auftretende Grammatikfragen gleich während des Spiels.

VARIANTE:
Anstelle von Substantiven und Artikeln können auch andere Grammatikphänomene Gegenstand des Damespiels sein, z. B. Substantive und Adjektive, Substantive und Präpositionen, Pronomen und Verben etc.

Grammatisches Damespiel – Spielbrett (eine Kopie für je zwei Lerner)

Spielsteine Substantive
(eine Kopie für je zwei Lerner)

Fenster	Bahnhof	Freundin	Gärten
Stunden	Haus	Buch	Baum
Rucksack	Zitrone	Augen	Zimmer

Spielsteine Artikel
(eine Kopie für je zwei Lerner)

das	ein	den	eine
der	eine	die	das
dem	einen	einer	die

10 Schnapp

GRAMMATIK:	Imperativ, Bedingungssätze
NIVEAU:	★★ bis ★★★
DAUER:	20–40 Min.
MATERIAL:	Ein Set mit 72 Spielkarten pro Dreiergruppe
	Eventuell: mehrere Scheren

VERLAUF:

1. Bilden Sie Dreiergruppen.

2. Geben Sie jeder Gruppe drei Din-A-4 Blätter, und bitten Sie die Lerner, jedes Blatt so zu falten, dass 24 Felder entstehen, und diese auszuschneiden. Jede Dreiergruppe hat am Ende 72 Kärtchen.

3. Schreiben Sie die Satzhälften der Kopiervorlagen 13 bis 15 so schnell Sie können an die Tafel, und bitten Sie die Lerner, jede der Satzhälften auf eines der Kärtchen zu schreiben. Alle helfen beim Beschriften mit; am Ende hat jede Dreiergruppe 72 Satzhälften auf 72 verschiedenen Kärtchen.
(Wenn Sie eine ausreichende Anzahl von Scheren haben, brauchen Sie die Kopiervorlagen nur für jede Gruppe zu kopieren, die Lerner schneiden dann die Kärtchen aus.)

Sie brauchen die Lerner an der Herstellung des Spiels nur dann zu beteiligen, wenn sie es zum ersten Mal spielen. Danach können Sie die Kärtchen einsammeln und in verschiedenen Briefumschlägen aufbewahren. So haben Sie das Spiel schon parat, wenn Sie es mit einer anderen Gruppe spielen wollen.

4. Erläutern Sie das Spiel, indem Sie es mit einem Lerner vorspielen, während die Gruppe zuschaut:
a) Bitten Sie den Lerner, sich mit dem Gesicht zur Gruppe neben Sie an einen Tisch zu setzen.
b) Geben Sie ihm den Stapel Schnapp-Karten, die er gründlich mischen soll.
c) Zeichnen Sie zwei Felder auf ein Blatt, das vor Ihnen beiden auf den Tisch gelegt wird, und bezeichnen Sie das eine Feld mit WENN, das andere mit DANN.
d) Bitten Sie den Lerner, Ihnen die Hälfte der Karten zu geben und die andere Hälfte selber zu behalten (jeder hat also 36). Legen Sie beide Ihren Stapel *mit der Schrift nach* unten auf den Tisch.
e) Der Lerner dreht die erste Karte um und legt sie

mit *der Schrift nach oben* in das entsprechende Feld; Sie tun das gleiche; der Lerner dreht die nächste Karte um, Sie auch und so fort.
f) Wenn einer von Ihnen merkt, dass der aufgedeckte WENN- und der DANN-Satz grammatikalisch und inhaltlich zusammenpassen, ruft er „Schnapp". Wer zuerst „Schnapp" gerufen hat, bekommt alle Kärtchen, die bislang auf den beiden Feldern liegen.
g) Ziel des Spiels ist es, in den Besitz aller Karten zu kommen.

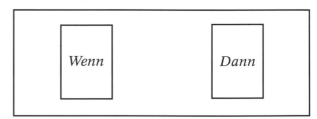

5. Nachdem die Lerner nun gesehen haben, wie das Spiel abläuft, spielen sie in Dreiergruppen. Zwei sitzen nebeneinander und spielen in der oben beschriebenen Weise, nachdem sie sich ein Blatt mit WENN-DANN-Feldern angefertigt haben; der dritte schreibt alle Schnapp-Sätze auf. Gehen Sie während des Spiels umher und helfen Sie dort, wo die Spielregeln noch nicht klar sind.

6. Brechen Sie das Spiel nach 10 bis 15 Minuten ab, und bitten Sie die „Sekretäre" jeder Gruppe, ihre Schnapp-Sätze an die Tafel zu schreiben. Fordern Sie die Lerner auf, ihre Sätze laut vorzulesen, und achten Sie darauf, dass sie zwischen der ersten und zweiten Hälfte keine unnatürliche Pause machen.

Hinweis: Schnapp erlaubt es den Lernern, sich über die Vereinbarkeit von Strukturen bewusst zu werden, ohne gleich zum Sprechen gezwungen zu sein. Das Spiel trainiert das schnelle Erkennen möglicher Satzmuster.

Schnapp eignet sich auch für andere Strukturen, bei denen mehrere Teile zusammenpassen müssen, z. B. bei Bedingungssätzen folgenden Typs: *Wenn ich heute nicht arbeiten müsste, würde ich an den Strand gehen.*
Wenn es gestern geregnet hätte, wären wir nicht spazieren gegangen.

Idee: Lesley Randles beschreibt in *Take five* ein lexikalisches Schnapp aus Begriffen und Bildern.

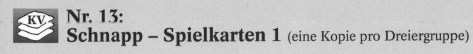

Nr. 13:
Schnapp – Spielkarten 1 (eine Kopie pro Dreiergruppe)

WENN DU FRIERST	ZIEH EINE JACKE AN	SAG ES MIR	WENN DU HUNGER HAST	ISS ETWAS	NIMM EIN BRÖT-CHEN
WENN DU HILFE BRAUCHST	SAG ES	RUF MICH AN	WENN DU HEUTE NICHT KANNST	SAG MIR BE-SCHEID	KOMM EIN ANDERES MAL
WENN DU MÜDE BIST	GEH INS BETT	WENN DU ER-SCHÖPFT BIST	RUH DICH AUS	ARBEITE NICHT SO VIEL	WENN ER DIR NICHT GEFÄLLT
HEIRATE IHN NICHT	WENN DU IHN NICHT LIEBST	LEG DICH HIN	WENN ES DIR GEFÄLLT	KAUF ES DOCH	NIMM ES DOCH

WENN DU KRANK BIST	WENN DU ABNEHMEN WILLST	MACH DIR EIN BUTTER-BROT	KOMM ZUM ESSEN	VERGISS DIE SCHLÜSSEL NICHT	WENN DU KEINE LUST HAST
WENN DU ZEIT HAST	WENN DU LUST HAST	SCHREIB MIR EINE KARTE	TRINK EINEN SCHNAPS	TREIB MEHR SPORT	GEH NACH HAUSE
WENN DU NACH ITALIEN FÄHRST	WENN ES DIR GEFÄLLT	BRING MIR DIE ZEITUNG MIT	LEG DICH INS BETT	GEH INS KINO	DENK AN MICH
WENN DU EINKAUFEN GEHST	ISS KARTOFFEL-BREI	FRAG JEMAND ANDERES	HEIRATE IHN	GEH ZUM ARZT	WENN ES DIR RECHT IST

WENN DU ES NICHT WILLST	WENN DU WILLST	WECK ES NICHT	NIMM DEN BUS	WENN DU KEIN BIER MAGST	KOMM DOCH VORBEI
WENN DAS KIND SCHLÄFT	WENN DU ES EILIG HAST	NIMM EINEN SAFT	LAUF SCHNELL	LASS ES SEIN	WENN DU SCHMERZEN HAST
WENN DU ZWEIFEL HAST	WENN DU IHN LIEBST	ARBEITE WENIGER	FRAG DOCH NACH	KOMM DOCH MIT	WENN DU ALLEIN BIST
WENN DU KANNST	FRAG JEMANDEN	BESUCH UNS MAL	KOMM ZU UNS ZUM MITTAG-ESSEN	WENN DU LUST HAST	KOMM ZU UNS

11 Domino

GRAMMATIK:	Wortbildung, Präfixe, trennbare Verben
NIVEAU:	★ ★ ★
DAUER:	15–20 Min.
MATERIAL:	Eine Kopie des Sets von 56 Dominos pro Sechsergruppe
	Eventuell: mehrere Scheren

VERLAUF:

1. Bilden Sie Gruppen zwischen drei und sechs Lernern und bitten Sie sie, sich rund um einen Tisch zu setzen. Geben Sie jeder Gruppe die beiden Dominoseiten (Kopiervorlage 16 und 17) und fordern Sie sie auf, die Blätter vorsichtig zu falten und entlang der gestrichelten Linie so auseinander zu reißen oder zu zerschneiden, dass Dominosteine entstehen. Ein Lerner aus der Gruppe mischt und verteilt sie; niemand sollte seine Dominosteine den anderen zeigen.

2. Spieler A jeder Gruppe beginnt und legt einen Dominostein aus. Sein rechter Nachbar legt einen Stein daran an, von dem ein Ende mit einem Ende des Steins von A kombinierbar ist. Wenn die linke Seite von A's Dominostein *gehen* lautet, und der nächste Spieler einen Spielstein mit dem Präfix VER links davon anfügt, so ist das eine gültige Kombination.

3. Die Spieler fahren im Kreis fort; wenn jemand kein Domino anlegen kann, setzt er oder sie aus. Sieger ist, wer zuerst keine Dominosteine mehr hat.

4. Gehen Sie von einer Gruppe zur anderen und geben Sie Hilfestellung, wenn die Lerner wissen möchten, ob eine bestimmte Verbindung möglich ist. Geben Sie ihnen sofort eine Rückmeldung.

5. Wenn das Spiel beendet ist, bewahren Sie die Domino-Sets in Briefumschlägen auf, um sie bei einer anderen Gruppe wieder zu verwenden.

Hinweis: Das Domino lässt sich auch mit anderen paarweisen Verbindungen spielen, allerdings schlug ein Versuch mit unregelmäßigen Verben fehl; offenbar kommt die vielfältige Kombinierbarkeit der Elemente wie im Fall der Wortbildung dem echten Domino am nächsten.

Idee: Paul Davis

ÜBER	BE	AUS	AUS	VOR	AB	ER
lesen	fahren	ziehen	kommen	kleinern	sehen	gehen

VOR	UM	ENT	GE	ZER	ÜBER	MIT
arbeiten	leben	helfen	schenken	machen	brechen	wachsen

VER	UNTER	NACH	AB	MIT	ZER	ENT
bilden	wechseln	sorgen	schlagen	schütten	rühren	schicken

AUS	AB	BE	ER	VER	UNTER	NACH
danken	bringen	laufen	hängen	spielen	drücken	lassen

AB	VER	VOR	BE	ZER	ER	VER
holen	hören	teilen	graben	sprechen	treten	reißen
AUS	BE	MIT	UM	ENT	UNTER	AUS
schrecken	geben	antworten	werten	klären	denken	nehmen
NACH	ÜBER	UNTER	UM	VER	VOR	ZER
raten	urteilen	fallen	schuldigen	fallen	mutigen	wenden
AB	AUS	BE	ENT	ER	GE	MIT
räumen	rechnen	schleppen	schließen	stellen	schreiben	waschen

12 Liebesgeschichte

GRAMMATIK:	Syntaktische Strukturen
NIVEAU:	★ ★ ★
DAUER:	40–60 Min.
MATERIAL:	Kopieren Sie die durcheinander gewürfelten Sätze (Kopiervorlage 18) auf eine Folie, oder schreiben Sie sie auf 10 große Pappstreifen, so dass sie für die ganze Gruppe gut lesbar sind. Kopieren Sie die korrekten Sätze in ausreichender Zahl, um sie später jeder Dreiergruppe aushändigen zu können.

VERLAUF:

1. Bilden Sie Dreiergruppen und erklären Sie den Lernern, dass dieses Grammatikspiel darin besteht, eine Liebesgeschichte zu lesen.

2. Erläutern Sie die Spielregeln und die Punktevergabe:

Die Lerner sehen einen Satz, dessen Wörter durcheinander gewürfelt sind, und müssen daraus den korrekten Satz rekonstruieren; die Gruppe, die als erste den richtigen Satz findet, erhält drei Punkte; wenn eine Gruppe einen fehlerhaften Satz anbietet, wird ihr ein Punkt abgezogen.

3. Zeigen Sie den ersten Satz, und ermuntern Sie die Lerner, eventuelle Hypothesen schriftlich zu formulieren. Stellen Sie sicher, dass die Übung lebhaft, aber konzentriert durchgeführt wird; wenn die Gruppe bei einem Satz nicht weiter kommt, geben Sie Hilfestellung, indem Sie die ersten drei Wörter in der richtigen Reihenfolge angeben. Geben Sie pro Satz nicht mehr als drei Minuten Zeit. Wenn ein Satz herausgefunden wurde oder die drei Minuten verstrichen sind, gehen Sie zum nächsten über. Notieren Sie während des Spielverlaufs die Punkte für die einzelnen Gruppen.

4. Geben Sie abschließend den Punktestand bekannt.

5. Verteilen Sie die Kopie mit den korrekten Sätzen (Kopiervorlage 19) und weisen Sie besonders darauf hin, dass es in einigen Fällen mehr als eine Möglichkeit gibt, einen richtigen Satz zu konstruieren.

Hinweis: Sie können auch einfach einige Lerner bitten, selber eine Folie mit durcheinander gewürfelten Sätzen vorzubereiten. Der Prozess der Vorbereitung fördert das Lernen ganz besonders.

1. zwei Mama kennengelernt vor und Monaten ich habe Schwester ihn seine

2. sympathisch war er dass ihm mir und ich auch gemerkt sofort ich habe gefalle

3. mit Schwester auch seiner Freundschaft habe ich geschlossen gleich

4. getroffen ich haben er in letzter uns Zeit oft und sehr

5. verständnisvoll so er ist zärtlich nett und

6. wir verschiedene gemacht haben zusammen Ausflüge

7. mehr haben ich Zeit erzählen um dir von möchte zu ihm

8. Familie noch seine kenne ich nicht eigentlich

9. ist sie konservativ eher glaube ich dass

10. wir wie Woche soll ich es nächste sagen dir heiraten

1. Mama, ich habe ihn und seine Schwester vor zwei Monaten kennen gelernt.

2. Er war mir sofort sympathisch und ich habe gemerkt, dass auch ich ihm gefalle.

3. Auch mit seiner Schwester habe ich gleich Freundschaft geschlossen.

4. Er und ich haben uns in letzter Zeit sehr oft getroffen.

5. Er ist so zärtlich, nett und verständnisvoll!

6. Wir haben verschiedene Ausflüge zusammen gemacht.

7. Ich möchte mehr Zeit haben, um dir von ihm zu erzählen.

8. Seine Familie kenne ich eigentlich noch nicht.

9. Ich glaube, dass sie eher konservativ ist.

10. Wie soll ich es dir sagen... wir heiraten nächste Woche.

13 Verzögerte Antworten

GRAMMATIK:	Fragewörter und Präpositionen
NIVEAU:	★ ★
DAUER:	5–10 Min.
MATERIAL:	Eine Kopie der Fragenliste pro Zweiergruppe

VERLAUF:

1. Machen Sie zunächst vor, wie die Übung abläuft: Bitten Sie einen Lerner, Ihnen die erste einer Reihe von Fragen, die Sie zuvor vorbereitet haben, zu stellen. Antworten Sie nur „... hmm ..." mit geschlossenem Mund. Auf die zweite Frage geben Sie die Antwort, die zu der ersten Frage gepasst hätte. Auf die dritte Frage reagieren Sie mit der zur zweiten Frage passenden Antwort und so weiter. Die verwirrende Kombination von Fragen und Antworten führt oft zu lustigen Ergebnissen.

2. Bilden Sie Zweiergruppen und geben Sie jedem Paar eine Kopie mit dem Fragenkatalog A, B oder C (Kopiervorlage 20). Ein Lerner stellt die Fragen, der andere gibt die jeweils um eine Frage verzögerte Antwort. Es wird um die Wette gefragt: die Gruppe, die zuerst den ganzen Fragenkatalog „abgearbeitet" hat, gewinnt das Spiel.

VARIANTE:

1. Lassen Sie die Fragen von den Lernern vorbereiten.

2. Bilden Sie Vierergruppen: einer kontrolliert die Zeit, einer stellt die Fragen, und die beiden anderen sind die Spieler.

3. Derjenige, der die Fragen stellt, „feuert" schnell hintereinander fünf Fragen an Spieler A ab, der jeweils eine *falsche* Antwort geben muss. Der Zeitnehmer notiert die benötigte Zeit. Anschließend wird Spieler B mit fünf ähnlichen Fragen „bombardiert". Mögliche Fragen:

> Wie alt bist du?
> Wo wohnst du?
> Was ist deine Lieblingsfarbe?
> Wie spät ist es?
> Wie bist du hierher gekommen?

> Um wie viel Uhr bist du heute aufgestanden?
> Was hast du zum Frühstück gegessen?
> Wo wohnt dein bester Freund?
> Welche Musik gefällt dir nicht?
> Wie viele Geschwister hast du?

4. Sieger ist, wer in der kürzesten Zeit geantwortet hat. (Die Schwierigkeit besteht darin, die falsche Antwort in möglichst kurzer Zeit zu geben.)

Idee: Fernsehsendung „Losing a million"

A

Wo schläfst du? (Hierauf erfolgt keine Antwort.)
Wo isst du? (Es folgt die Antwort auf die erste Frage.)
Wo wohnst du?
Wo wäschst du dich und ziehst du dich an?
Wo liest du?
Wo machst du das Essen?
Wo hörst du Musik?
Wo machst du Hausaufgaben?
Wo kaufst du ein?
Wo warst du letztes Jahr in Urlaub?

B

Womit isst du deine Suppe?
Womit schneidest du das Fleisch?
Worauf schreibst du?
Womit wischst du dir den Mund ab?
Womit putzt du dir die Nase?
Womit kämmst du dich?
Worauf schläfst du?
Womit schreibst du?
Was ziehst du an, wenn du ins Bett gehst?
Was nimmst du mit, wenn du ins Gebirge fährst?

C

Kannst du mir etwas nennen, was du vergangene Woche gegessen hast?
Kannst du mir etwas erzählen, was du vergangene Woche erlebt hast?
Was ist für dich in letzter Zeit besonders wichtig gewesen?
Was möchtest du nächste Woche wirklich gern tun?
Wo hättest du gern die letzte Woche verbracht?
Wohin möchtest du am Wochenende fahren?
Wo hast du deinen letzten Urlaub verbracht?
Wo hast du deinen schönsten Urlaub verbracht?

II. Kooperative Spiele rund um den Satzbau

14 Ausstreichen und Ersetzen

GRAMMATIK:	Syntaktische Strukturen
NIVEAU:	★ ★
DAUER:	5–15 Min.
MATERIAL:	Keines

VERLAUF:

1. Bitten Sie einen Lerner, einen Mann, eine Frau und einen Vulkan an die Tafel zu zeichnen. Machen Sie keine genaueren Angaben, und zeichnen Sie die Figuren keinesfalls selber!

2. Bitten Sie einen Lerner, die Rolle des Sekretärs zu übernehmen und folgenden Satz in Form einer Sprechblase, die aus dem Mund des Mannes oder der Frau kommt, an die Tafel zu schreiben:

> Wenn der Vulkan fortfährt Feuer zu spucken, wird es nötig wegzulaufen.

Im weiteren Verlauf der Aktivität müssen Sie als Kursleiter/in völlig stumm bleiben. Löschen Sie ein, zwei oder drei Wörter aus dem Satz, und deuten Sie durch entsprechende Mimik an, dass diese Wörter durch ein oder mehrere ersetzt werden müssen. Sobald jemand ein Wort vorschlägt, schreiben Sie es auf, auch wenn es syntaktisch nicht korrekt ist. Bitten Sie den Lerner, den Satz mit dem neuen Wort oder den neuen Wörtern laut vorzulesen, und zu überprüfen, ob er korrekt ist.

Fordern Sie (a) einen Lerner oder (b) die Gruppe stumm auf, über die Richtigkeit des Satzes zu befinden. Wenn die Lerner zu Recht der Meinung sind, dass er falsch ist, löschen Sie das Wort oder die Wörter wieder aus, und bitten Sie jemanden, es durch ein anderes oder mehrere andere zu ersetzen.

Wenn der Satz jedoch von allen für richtig befunden wird, löschen Sie ein weiteres Wort und verfahren in derselben Weise. Ziel ist es, die Aktivität mit einem Satz, der vom ursprünglichen völlig verschieden ist, zu beenden.

Im Verlauf der Übung werden Sie feststellen, wie sehr Ihr Schweigen eine wirksame Unterstützung der Übung darstellt, denn die Lerner werden sich bemühen, die so entstandene Leere zu füllen; Ihr Schweigen erlaubt es Ihnen außerdem, die Lerner genauer zu beobachten als es Ihnen möglich wäre, wenn Sie am Gespräch teilnehmen würden.

Eine Gruppe auf mittlerem Lernniveau hat diesen Satz in folgender Weise umgewandelt:

1.
Feuerschlucker
Wenn der ~~Vulkan~~ fortfährt Feuer zu spucken, wird es nötig wegzulaufen.

2.
Feuerschlucker **anfängt**
Wenn der ~~Vulkan fortfährt~~ Feuer zu spucken, wird es nötig wegzulaufen.

3.
Feuerschlucker anfängt **Wein**
Wenn der ~~Vulkan fortfährt Feuer~~ zu spucken, wird es nötig wegzulaufen.

4.
Feuerschlucker anfängt Wein **zu   trinken,**
Wenn der ~~Vulkan fortfährt Feuer zu spucken~~, wird es nötig wegzulaufen.

5.
Feuerschlucker anfängt Wein zu trinken,   **ist   es**
Wenn der ~~Vulkan fortfährt Feuer zu spucken, wird~~ es nötig wegzulaufen.

6.
Feuerschlucker anfängt Wein zu trinken,   ist es **angebracht**
Wenn der ~~Vulkan fortfährt Feuer zu spucken, wird es nötig~~ wegzulaufen.

7.
Feuerschlucker anfängt Wein zu trinken,   ist es angebracht **zu fliehen**
Wenn der ~~Vulkan fortfährt Feuer zu spucken, wird es nötig wegzulaufen~~.

8.
ein Feuerschlucker anfängt Wein zu trinken,   ist es angebracht zu fliehen
Wenn ~~der Vulkan fortfährt Feuer zu spucken, wird es nötig wegzulaufen~~.

9.
Sobald ein Feuerschlucker anfängt Wein zu trinken,   ist es angebracht zu fliehen
~~Wenn der Vulkan fortfährt Feuer zu spucken, wird es nötig wegzulaufen~~.

Idee: John Pit, Pilgrims

15 Das Spiel aus Marienbad

GRAMMATIK:	Syntaktische Strukturen
NIVEAU:	★ ★ ★
DAUER:	10–15 Min.
MATERIAL:	Keines

VERLAUF:

1. Schreiben Sie den folgenden Text in vier Zeilen, so wie er hier abgedruckt ist, an die Tafel:

> Liebste,
> ich liebe dich, Maria.
> Lass mich bitte nicht allein.
> Wenn du mich verlässt, werde ich sterben.

2. Bilden Sie zwei Gruppen und erläutern Sie, dass das Ziel des Spiels darin besteht, das an der Tafel stehende „Gedicht" zu verkürzen. Gruppe A beginnt: Sie kann entweder eine komplette Zeile streichen oder aber eine beliebige Anzahl von Wörtern innerhalb einer Zeile. Auch dürfen die Wörter umgestellt werden. Hier ein Beispiel:

> Liebste,
> liebe Maria.
> Lass mich!
> Du verlässt mich?

Nachdem die Lerner Ihnen gesagt haben, was Sie auswischen sollen, bitten Sie einen aus der Gruppe, das verbleibende Gedicht laut vorzulesen. Es muss noch grammatisch korrekt sein; es muss auch einen Sinn ergeben, der sich aber von dem des ursprünglichen Gedichts unterscheiden darf.

Wenn Gruppe A etwas zu streichen beschließt, was nicht gestrichen werden kann, tun Sie es trotzdem; denn wenn die Lerner das Gedicht laut vorlesen, werden sie den Fehler höchstwahrscheinlich bemerken. Sollte das nicht der Fall sein, bitten Sie die Gruppe B um ihre Meinung. Geben Sie selber nur dann ein Urteil ab, wenn es gar nicht anders möglich ist. Anschließend ist Gruppe B an der Reihe, eine ganze Zeile oder beliebig viele Wörter innerhalb einer Zeile zu streichen. Ziel ist es, das gegnerische Team dazu zu bringen, dass es das letzte Wort auslöschen muss.

3. Wenn Sie das Spiel zum ersten Mal spielen, werden die Lerner einige Schwierigkeiten haben, die Regeln zu befolgen. Versuchen Sie es erneut mit den ersten beiden Strophen aus diesem Gedicht:

> *Ich ging im Walde so für mich hin,*
> *und nichts zu suchen, das war mein Sinn.*
>
> *Im Schatten sah ich ein Blümlein steh'n,*
> *wie Sterne leuchtend, wie Äuglein schön.*

Die Umformung könnte z. B. so aussehen:

> Im Walde
> Nichts suchen
> Im Schatten ein Blümlein
> Äuglein wie Sterne

Hinweis: Dieses Spiel wird in dem Film „Letztes Jahr in Marienbad" gespielt, und zwar mit Streichhölzern, die im Gegensatz zu den Wörtern keinen grammatischen oder syntaktischen Zwängen unterliegen. Der für den Lernprozess wichtigste Schritt des Spiels besteht darin, dass sich die Lerner bewusst machen, welches Wort bzw. welche Wortfolge man *nicht* wegstreichen kann.

Vielleicht sind die Lerner daran interessiert, die Fortsetzung des Gedichts kennen zu lernen:

> *Ich wollt' es brechen;*
> *da sagt' es fein:*
> *Soll ich zum Welken*
> *gebrochen sein?*
>
> *Ich grub's mit allen*
> *den Würzlein aus,*
> *zum Garten trug ich's*
> *am hübschen Haus.*
>
> *Und pflanzt es wieder*
> *am stillen Ort;*
> *Nun zweigt es immer*
> *und blüht so fort.*

JOHANN WOLFGANG VON GOETHE

16 Sätze erweitern

GRAMMATIK:	Syntaktische Strukturen
NIVEAU:	★ ★ ★
DAUER:	5–30 Min.
MATERIAL:	Keines

VERLAUF:

1. Bitten Sie ein Mitglied der Gruppe, Adam und Eva, den Baum und den Apfel an die Tafel zu zeichnen.

2. Schreiben Sie einen Satz in folgender Anordnung an die Tafel:

SIE HOLT EINEN APFEL

Die Lerner müssen nun ein Wort an der von Ihnen angegebenen Stelle hinzufügen:

SIE   HOLT   ?   EINEN   APFEL

Schreiben Sie das von einem Lerner vorgeschlagene Wort auf, und bitten Sie ihn, den Satz laut vorzulesen. Sie selber bleiben völlig stumm. Wenn das vorgeschlagene Wort nicht passt, bitten Sie die anderen um ihre Ansicht (dabei dürfen Sie aber nicht sprechen, sondern müssen Ihre Frage rein mimisch ausdrücken). Erst dann, wenn niemand den Fehler erkennt, reagieren Sie, indem Sie das unpassende Wort auslöschen.

Setzen Sie die Übung fort, indem Sie weitere Stellen markieren, an denen ein Wort eingefügt werden soll – auch dort, wo syntaktisch kein Wort hineinpasst, denn es ist wichtig, dass den Lernern bewusst wird, an welchen Stellen man Wörter hinzufügen kann und an welchen nicht.

Eine Anfängergruppe hat den obigen Satz in folgenden Schritten erweitert; die fehlerhaften Vorschläge sind hier nicht aufgeführt (obwohl gerade sie einen wichtigen Teil des Lernprozesses darstellen).

SIE	HOLT	?		EINEN			APFEL	
SIE	HOLT	**IHM**		EINEN		?	APFEL	
SIE	HOLT	IHM	?	EINEN		**SCHÖNEN**	APFEL	
SIE	HOLT	IHM	**OFT**	EINEN	?	SCHÖNEN	APFEL	
SIE	HOLT	IHM	OFT	EINEN	**SEHR**	SCHÖNEN	APFEL	?
SIE	HOLT	IHM	OFT	EINEN	SEHR	SCHÖNEN	APFEL	**AUS DEM GARTEN.**

VARIANTE:

Bei einer weiter fortgeschrittenen Gruppe können Sie die Lerner bitten, ein oder zwei aufeinander folgende Wörter an der jeweils angegebenen Stelle einzufügen. Sie können auch ein oder zwei aufeinander folgende Wörter löschen und nur neue Wortfolgen von mindestens drei Wörtern zulassen. Wenn der Satz so stark verändert wird, ändert sich natürlich auch sein Sinn grundlegend.

Idee: Lou Spaventa

17 Verkürzen und Erweitern

GRAMMATIK:	Syntax
NIVEAU:	★ ★ ★
DAUER:	10–20 Min.
MATERIAL:	Keines

VERLAUF:

1. Bitten Sie einen Lerner, eine Frau an die Tafel zu zeichnen, die in einem Park steht und einen nachdenklichen Gesichtsausdruck hat.

2. Schreiben Sie in eine Sprechblase, die aus ihrem Mund kommt, folgenden Satz:

> Wer weiß, was passiert, wenn er mich heute Abend abholt, um mit mir durch den Park zu gehen.

3. Ziel der Übung ist es, den Satz vollständig zu verändern. Dazu dürfen die Lerner ein bis drei aufeinander folgende Wörter streichen, müssen sie aber jeweils durch drei aufeinander folgende Wörter ersetzen.

   Wenn die Lerner einen Vorschlag machen, löschen und ergänzen Sie die Wörter. Bitten Sie jeweils eine Person, den neu entstandenen Satz laut vorzulesen, um den Sinn zu überprüfen. Sie selber dürfen kein Wort sagen. Wenn die Lerner sich über einen Satz nicht einigen können oder wenn die Ergänzung falsch ist, genügt es, wenn Sie die drei neuen Wörter auswischen und die ursprünglichen wieder hinschreiben. Vermeiden Sie es, durch Gesten oder andere Ausdrucksmittel zu erkennen zu geben, wenn jemand einen Fehler macht – auch wenn man nichts sagt, ist es nicht so leicht, unbeteiligt zu wirken.

Eine Gruppe auf mittlerem Lernniveau hat den obigen Satz in folgenden Schritten verändert. Die fehlerhaften Vorschläge sind hier nicht mit aufgeführt.

Niemand kann voraussehen, was passiert, wenn er mich heute Abend abholt, um mit mir durch den Park zu gehen.

Niemand kann voraussehen, was passiert, wenn er mich heute Abend abholt, um mit mir durch **diesen dunklen Wald** zu gehen.

Niemand kann voraussehen, was passiert, wenn **mein Freund Karl** mich heute Abend abholt, um mit mir durch diesen dunklen Wald zu gehen.

Niemand kann voraussehen, was **dieses Ungeheuer tut**, wenn mein Freund Karl mich heute Abend abholt, um mit mir durch diesen dunklen Wald zu gehen.

Niemand kann voraussehen, was dieses Ungeheuer tut, wenn mein Freund Karl mich heute Abend abholt, um mit mir durch diesen dunklen Wald **heimlich zu fliehen**.

Niemand kann voraussehen, was dieses Ungeheuer tut, wenn mein Freund Karl mich heute **bei Tagesanbruch entführt**, um mit mir durch diesen dunklen Wald heimlich zu fliehen.

Niemand kann voraussehen, was dieses Ungeheuer tut, wenn mein Freund Karl mich heute bei Tagesanbruch entführt, um **vor seinen Verfolgern** durch diesen dunklen Wald heimlich zu fliehen.

18 Satzcollage

GRAMMATIK:	Verschiedene Strukturen, Syntax
NIVEAU:	★ ★ ★
DAUER:	5–15 Min.
MATERIAL:	Papierstreifen und doppelseitiges Klebeband

VORBEREITUNG:

Formulieren Sie einen Satz, der die Struktur, die Sie üben wollen, enthält, z.B.:

> Gestern trafen sich alle Teilnehmer/innen bei Inge, um die Abschlussfeier des Kurses vorzubereiten.

Schreiben Sie jedes Wort in Großbuchstaben auf ein einzelnes Stück Papier und befestigen Sie auf der Rückseite ein Stück Klebeband. Sie benötigen pro Fünfer- oder Sechsergruppe ein komplettes Set Wortkarten, aus denen sich der Satz zusammensetzen lässt.

VERLAUF:

1. Bilden Sie Fünfer- oder Sechsergruppen und bitten Sie eine Gruppe, an die Tafel zu kommen; die anderen suchen sich einen Platz im Unterrichtsraum. Geben Sie jeder Gruppe ein Set mit den durcheinander gemischten Wortkarten – zwei bis vier pro Lerner – und fordern Sie sie auf, damit einen grammatikalisch richtigen Satz zu bilden, der alle Wörter enthält.

2. Greifen Sie nicht ein und helfen Sie den Gruppen nicht; die Lerner sollen unter sich ausmachen, in welche Reihenfolge sie die Wörter bringen wollen. Es ist möglich, dass sich das Ergebnis von Ihrem ursprünglichen Satz unterscheidet. Das ist völlig in Ordnung.

Der Beispielsatz könnte folgendermaßen zusammengesetzt werden:

> Alle Teilnehmer/innen trafen sich gestern bei Inge, um die Abschlussfeier des Kurses vorzubereiten.

oder

> Um die Abschlussfeier vorzubereiten, trafen sich gestern alle Teilnehmer/innen des Kurses bei Inge.

Das Zusammensetzen von Satzcollagen ist eine gute Möglichkeit, neue Strukturen einzuführen. Das Bemühen um die richtige Wortfolge bündelt die Aufmerksamkeit der Lerner sehr stark.

VARIANTE:

Wenn die Lerner einmal an diese Art von Übung gewöhnt sind, können Sie auch Sätze verwenden, in denen einige Wörter fehlen, z.B. drei Wörter innerhalb eines Satzes von insgesamt 20. Für die fehlenden Wörter geben Sie dann leere Wortkarten aus, und die Lerner legen fest, welche Wörter auf diese Karten gehören.

19 Schlusswort

GRAMMATIK:	Syntax
NIVEAU:	★ ★ ★
DAUER:	30–40 Min.
MATERIAL:	Keines

VERLAUF:

1. Bilden Sie Gruppen von drei bis vier Lernern unterschiedlicher Leistungsstärke. Erläutern Sie, dass es darum geht, im Wettlauf mit der Zeit Sätze zu schreiben, von denen jeder mit einem Wort, das Sie den Lernern vorgeben, enden muss.

Bei einer Gruppe auf mittlerem Lernniveau können Sie z.B. folgenden Satz verwenden:

> Morgen feiern meine Eltern ihre silberne Hochzeit im Parkhotel.

Bitten Sie die Lerner, nun 9 (= Anzahl der Wörter im Beispielsatz) Sätze aufzuschreiben: jeder muss mit einem anderen Wort des vorgegebenen Satzes enden, z.B.:

> Wir kommen leider erst **morgen**.

Stoppen Sie die Zeit, und sagen Sie den Lernern, wann 3, 6 und 9 Minuten vergangen sind. Das gibt ihnen einen „Adrenalinstoß".

Sieger ist die Gruppe, die innerhalb von zehn Minuten die meisten korrekten Sätze gebildet hat.

Geben Sie in der Phase des Schreibens keinerlei Hilfestellung, außer dass Sie korrekte Sätze abhaken. Wenn Sie einer Gruppe irgendeine weitere Unterstützung geben, müssen Sie es bei den anderen auch tun.

2. Wenn die Zeit um ist, bitten Sie die Lerner, all die Sätze vorzulesen, die Sie noch nicht abhaken konnten. Sagen Sie dann einfach RICHTIG oder FALSCH. Nur wenigen Gruppen gelingt es, innerhalb der vorgegebenen Zeit die komplette Anzahl von möglichen Sätzen zu bilden.

3. Die Gruppen zählen ihre Punkte und ermitteln das Sieger-Team.

4. Bitten Sie jede Gruppe, einen ihrer fehlerhaften Sätze an die Tafel zu schreiben. So haben die Lerner die Möglichkeit, ihre Fehler gegenseitig zu korrigieren.

5. Fordern Sie die Klasse auf, gemeinsam die „Schlusswörter" zu bearbeiten, zu denen die Gruppen keine Sätze finden konnten. (z. B. **im**: *In diesem Fall verwendet man die Präposition* **im**.)

6. Beenden Sie die Stunde, indem Sie die Gruppen bitten, einen ihrer Sätze, der ihnen wirklich gut gefällt, an die Tafel zu schreiben.

20 Fragen über Fragen

GRAMMATIK:	Fragewörter, Partizip Perfekt, Syntax
NIVEAU:	★ ★ bis ★ ★ ★
DAUER:	15–20 Min.
MATERIAL:	Keines

VERLAUF:

1. Schreiben Sie einen deutschen Satz an die Tafel, z. B.

> Warum hat der Nachbar das Haus verkauft?

Fordern Sie die Lerner auf, Sätze zu bilden, die dieselbe Struktur aufweisen wie der Beispielsatz, in denen sich aber alle Wörter außer **hat** von denen des Beispielsatzes unterscheiden.

Um die Struktur dieses Satzes beizubehalten, ist folgende Abfolge erforderlich: Das erste Wort ist ein Fragepronomen, das zweite bleibt unverändert, das dritte ist ein Artikel oder Possessivartikel, das vierte ein Substantiv, das fünfte und sechste eine Ergänzung, etc., das letzte ist immer ein Partizip.

Auf der Grundlage des oben genannten Beispiels haben einige Lerner folgende Sätze formuliert:

> Wem hat die Großmutter die Standuhr geschenkt?
> Wie hat dein Bruder seine Freundin kennengelernt?
> Was hat deine Tochter im letzten Brief geschrieben?
> Wann hat das Konzert im Dom angefangen?

2. Bitten Sie die Lerner, ihre Sätze an die Tafel zu schreiben, und fordern Sie die Gruppe auf, zu entscheiden, welche Sätze richtig und welche falsch sind, wobei Sie genügend Zeit für Korrekturen einräumen.

Hinweis: Wenn Sie diese Übung zum ersten Mal durchführen, sind die Lerner möglicherweise etwas irritiert, da sie nicht genau verstehen, was von ihnen erwartet wird. Daher ist es wichtig, beim ersten Mal einen kurzen und einfachen Satz zu verwenden.

Idee: Lou Spaventa

21 Meine Sätze – dein Text

GRAMMATIK:	Konjunktionen, Nebensätze
NIVEAU:	★ ★ ★
DAUER:	20–30 Min.
MATERIAL:	Keines

VERLAUF:

1. Bitten Sie die Lerner, Ihnen alle Konjunktionen und Präpositionen zu nennen, die sie kennen. Sie können zu Beginn auch selber welche vorschlagen, z.B. *und, aber, sondern, weil, wenn, obwohl* etc. Erstellen Sie eine Liste an der Tafel. Sicher wird es nötig sein, einige zu erklären oder zu übersetzen.

2. Schreiben Sie fünf allgemeine Aussagen zu einem gemeinsamen Thema an die Tafel, z.B.:

> Junge Leute können die Alten oft nicht verstehen.

> Wenn man alt ist, möchte man in der Nähe der Familie wohnen.

> Ich denke nicht gerne an das Alter.

> Junge Leute haben gegenüber alten Menschen oft ein schlechtes Gewissen.

> Manchmal möchten die alten Leute lieber unabhängig sein.

Bitten Sie die Lerner, diese Sätze in Einzelarbeit in eine sinnvolle Reihenfolge zu bringen, indem sie sie zu Abschnitten von zwei oder drei Sätzen zusammenfügen. Sie dürfen Konjunktionen oder auch ganze Sätze hinzufügen, um einen Abschnitt auszuformulieren. Beobachten Sie die Lerner bei ihrer Arbeit und helfen Sie dort, wo Probleme mit den Konjunktionen auftreten.

3. Fordern Sie die Lerner auf, die Blätter mit ihren Texten an die Wand zu heften und diejenigen der anderen zu lesen.

Idee: Lou Spaventa

22 Vom Satz zum Gedicht

GRAMMATIK:	Wiederholung von vor kurzem einge-führten Strukturen: Präteritum und Perfekt
NIVEAU:	★ ★ ★
DAUER:	30 Min.
MATERIAL:	Sechs Sätze

VORBEREITUNG:

Wählen Sie sechs Sätze aus dem von Ihnen ver-wendeten Lehrbuch, in denen die Strukturen, die Sie wiederholen möchten, enthalten sind. Versu-chen Sie, möglichst offene und anregende Sätze zu finden. Hier einige Beispiele für den Gebrauch von Präteritum und Perfekt:

> Das hat niemand erwartet.
> Es war herrlich auf der Terrasse.
> Wir haben uns hingesetzt und ein Glas Wein getrunken.
> Es waren sonnige und unbeschwerte Tage.
> Als ich wiederkam, war er weg.
> Ich habe ihn nie wiedergesehen.
> Ich habe das Flugzeug verpasst.

VERLAUF:

1. Diktieren Sie die Sätze, die Sie ausgesucht ha-ben, oder schreiben Sie sie an die Tafel.

2. Bitten Sie die Lerner, ein Gedicht, einen Brief, eine Geschichte oder einen Dialog zu schreiben, in dem mindestens drei der obigen Sätze enthalten sind. Sie können auch Teil eines längeren Satzes sein, dürfen aber in sich nicht verändert werden. Die Lerner können allein oder zu zweit arbeiten.

3. Fordern Sie die Lerner auf, ihre Sätze an der Wand des Unterrichtsraums zu befestigen und die-jenigen der anderen Kursteilnehmer zu lesen.

Idee: Oulipo, *La littérature potentielle* (Gallimard, 1973); John Morgan

23 Grammatisches „Do it yourself"

GRAMMATIK:	Syntax
NIVEAU:	★ bis ★ ★
DAUER:	10 Min.
MATERIAL:	Ein Text

VORBEREITUNG:

Wählen Sie einen deutschen Text aus, der dem Lernniveau Ihrer Gruppe entspricht. Es kann sich um einen Text aus dem Lehrbuch, das Sie im Unterricht verwenden, handeln.

VERLAUF:

1. Fordern Sie die Lerner auf, einen beliebigen Satz aus dem Text auszuwählen, diesen aber nicht bekannt zu machen; bitten Sie sie nun, ein Blatt Papier in so viele Teile zu zerreißen, wie der Satz Wörter enthält; danach sollen sie jeden Papierstreifen mit einem Wort ihres Satzes (einschließlich eines Streifens für jedes Satzzeichen) beschriften.

2. Wenn alle ihre Papierstreifen beschriftet haben, werden diese gemischt, und jeder legt seine ungeordneten Satzteile auf seinen Stuhl. Nun stehen alle auf und gehen im Unterrichtsraum umher, um die auf jedem Stuhl liegenden Wörterzettel so zu ordnen, dass sich der ursprüngliche Satz daraus ergibt. Ist einem Lerner das gelungen, mischt er die Papierstreifen wieder neu, bevor er zum nächsten Stuhl weitergeht. Beenden Sie das Spiel, nachdem es die Lerner geschafft haben, einige Sätze zu rekonstruieren.

Hinweis: Diese Übung lässt sich mit jedem beliebigen Text durchführen und eignet sich besonders gut, um die Arbeit mit Lehrbuchtexten zu beleben. Rücken Sie wenn möglich die Tische beiseite, um das Umhergehen im Unterrichtsraum zu erleichtern.

Idee: Jonathan Marks

24 Durcheinander gewürfelte Sätze

GRAMMATIK:	Wortstellung
NIVEAU:	★ bis ★★★
DAUER:	30–40 Min.
MATERIAL:	Ein Text

VERLAUF:

1. Bilden Sie Zweiergruppen.

2. Diktieren Sie den ersten durcheinander gewürfelten Satz; einer der beiden Partner hat die Aufgabe, ihn auf ein einzelnes Blatt Papier zu schreiben.

3. Bitten Sie die Paare, die Wörter nun so anzuordnen, dass sie einen sinnvollen Satz ergeben, wobei sie alle Wörter verwenden und die Interpunktion ergänzen müssen. Diesen Satz schreiben sie ebenfalls auf.

4. Nun geben die Partner ihr Blatt nach rechts weiter. Jede Gruppe erhält also den Satz der Nachbarn, den sie auf seine grammatikalische und orthographische Richtigkeit hin überprüft und, wo nötig, korrigiert.

5. Diktieren Sie den nächsten durcheinander gewürfelten Satz.

6. Wiederholen Sie die Schritte 3 und 4.

7. Verteilen Sie den Originaltext (Kopiervorlage 21), und bitten Sie die Lerner, ihn mit ihrer Version zu vergleichen. Möglicherweise haben sie ausgezeichnete andere Sätze gebildet, die ebenso korrekt sind.

VARIANTE:
Diese Übung eignet sich besonders gut, um die Präsentation eines Lehrbuchtextes interessanter zu gestalten.

Idee: Olina Breka

Niveau ★: Beispiel aus *Stufen international I, Deutsch als Fremdsprache für Jugendliche und Erwachsene,* Lektion 4 (Klett Edition Deutsch 1995).

1. ist Fabian alt Jahre Merkel 17
2. Azubi (Auszubildender) er ist
3. werden will Kfz-Mechaniker er
4. dreieinhalb Ausbildung seine dauert Jahre
5. im lernt Betrieb und er die Berufsschule er in geht Woche pro zweimal

Niveau ★★: Beispiel aus *Stufen international I, Deutsch als Fremdsprache für Jugendliche und Erwachsene,* Lektion 6 (Klett Edition Deutsch 1995).

1. schon gereist bin Deutschland und durch und ich finde es zwei Österreich Wochen jetzt ich wunderbar
2. Frankfurt von Berlin gefahren nach ich bin
3. geblieben bin da Tage ich fünf
4. ich viel zuerst Stadtrundfahrt gesehen habe eine und gemacht
5. Ostberlin sind interessant Brandenburger das und Gedächtniskirche die besonders gewesen Tor
6. gehabt auf Spaß auch viel einer ich auch habe Wannsee-Rundfahrt

Niveau ★★★: Beispiel aus *Stufen international II, Deutsch als Fremdsprache für Jugendliche und Erwachsene*, Lektion 12 (Klett Editon Deutsch 1996).

1. Berufen fast das vielen ist Trinkgeld in ein des Teil oder Gehalts Lohns
2. freiwillig es und im es Preis ist Restaurant enthalten ist
3. Trinkgeld aber meist es dort gibt und auch Freundlichkeit für ein Schnelligkeit
4. Restaurant der Service in gibt Deutschland z.B. man gutem etwa bei Rechnungssumme 10%
5. kein allerdings der bekommt Trinkgeld Wirt

Niveau ★

Fabian Merkel ist
17 Jahre alt. Er ist Azubi (Auszubildender).
Er will Kfz-Mechaniker werden.
Seine Ausbildung dauert dreieinhalb Jahre.
Er lernt im Betrieb, und zweimal pro Woche
geht er in die Berufsschule.

Beispiel aus Stufen international 1, Deutsch als Fremdsprache für Jugendliche und Erwachsene, Lektion 4 (Klett Edition Deutsch 1995)

Niveau ★★

Jetzt bin ich schon zwei Wochen durch Deutschland und Österreich gereist und ich finde es wunderbar. Ich bin von Frankfurt nach Berlin gefahren. Da bin ich fünf Tage geblieben. Zuerst habe ich eine Stadtrundfahrt gemacht und viel gesehen.
Besonders interessant sind das Brandenburger Tor, die Gedächtniskirche und Ostberlin gewesen. Viel Spaß habe ich auch auf einer Wannsee-Rundfahrt gehabt.

Beispiel aus Stufen international 1, Lektion 6 (Klett Edition Deutsch 1995)

Niveau ★★★

Das Trinkgeld ist in vielen Berufen fast ein Teil des Gehalts oder Lohns. Es ist freiwillig und im Restaurant ist es im Preis enthalten. Für Freundlichkeit und Schnelligkeit gibt es aber auch dort meist ein Trinkgeld. In Deutschland gibt man im Restaurant bei gutem Service etwa 10% der Rechnungssumme. Der Wirt bekommt allerdings kein Trinkgeld.

Beispiel aus *Stufen international II*, Deutsch als Fremdsprache für Jugendliche und Erwachsene, Lektion 12 (Klett Edition Deutsch, 1996)

25 Vom Wort zur Geschichte

GRAMMATIK:	Syntax, Präteritum
NIVEAU:	★ ★ ★ bis ★ ★ ★ ★
DAUER:	20–30 Min.
MATERIAL:	Ein komplettes Set Wortkarten für jeweils 10 Lerner Eine Stecknadel pro Lerner Sechs Briefumschläge für jeweils 10 Lerner

VORBEREITUNG:

Schreiben Sie mit dickem Filzstift die Wörter der folgenden Geschichte auf einzelne Karten. Die Karten werden mit einer Stecknadel an der Kleidung der Lerner befestigt. Wenn Sie eine Gruppe von 20 Lernern haben, benötigen Sie zwei komplette Sets der beschrifteten Karten.

Sortieren Sie die Karten den einzelnen Sätzen der Geschichte entsprechend, und stecken Sie die Bestandteile eines Satzes jeweils in einen separaten Briefumschlag.

Hier ist die Geschichte:

> 1. *Eine Frau wollte unbedingt ein Kind haben, bekam aber keins.*
> 2. *Sie suchte alle möglichen Ärzte und Spezialisten auf – ohne Erfolg.*
> 3. *Ein Hypnotiseur, zu dem sie ging, sagte: „Entspannen Sie sich."*
> 4. *„Sie brauchen sich keine Sorgen zu machen, schlafen Sie ein."*
> 5. *„Sie werden jetzt zu einem Huhn und legen ein Ei."*
> 6. *Sie legte ein Ei. Wenig später bekam sie ein Kind.*

VERLAUF:

1. Bilden Sie Gruppen von zehn Personen, die jeweils im Kreis stehen. Geben Sie jedem Lerner des Kreises eine Stecknadel und eine Karte mit einem Wort aus dem Umschlag mit dem ersten Satz. Bitten Sie die Lerner, sich die Karten anzustecken.

2. Fordern Sie die Lerner nun auf, sich so im Kreis aufzustellen, dass die Reihenfolge ihrer Wörter einen sinnvollen Satz ergibt.

3. Wenn die Lerner einer Gruppe den richtigen Satz gebildet haben, bitten Sie sie, die Wortkarten abzunehmen und in der richtigen Abfolge auf einen Tisch in ihrer Nähe oder auf den Fußboden zu legen. Geben Sie ihnen dann den Umschlag mit dem zweiten Satz. Verfahren Sie in der gleichen Weise bis zum letzten Satz.

Hinweis: Möglicherweise haben Sie keine Gruppe von genau 10 oder 20 Personen.

In diesem Fall können Sie, wenn Sie die Wortkarten beschriften, die Zahl der Wörter pro Karte abändern und so die Sätze Ihrer Anzahl von Lernern anpassen.

Eine andere Möglichkeit besteht darin, falls Sie z. B. 18 Personen in Ihrem Kurs haben, diese in zwei Neunergruppe zu teilen und die zehnte Karte jeweils auf den Fußboden zu legen, so dass alle sie sehen können.

Dieses Spiel kann mit jeder beliebigen Geschichte durchgeführt werden, die eine spezielle grammatische Struktur mehrfach enthält; es ist auch besonders geeignet, um eine neue Struktur erstmals zu präsentieren.

Idee: Adult Migrant Education Service of Bankstown, Sydney

26 Gedanken lesen

GRAMMATIK:	Verschiedene Strukturen
NIVEAU:	★ bis ★ ★
DAUER:	20–30 Min.
MATERIAL:	Keines

VERLAUF:

1. Bitten Sie die Lerner, einen Teil eines Gegenstands zu zeichnen und dieses „Fragment" dann mit dem Nachbarn auszutauschen. Daraufhin vervollständigt jeder Lerner die Zeichnung seines Nachbarn – ohne mit diesem zu sprechen – nach seinen eigenen Vorstellungen.

Wenn die Zeichnung so ergänzt wird, dass die Grundidee des „Künstlers" sichtbar wird, bekommt der „Ghost-Zeichner" einen Punkt.

2. Geben Sie nun der Klasse ein Thema, z. B.
Die Welt der Tiere
Der Verkehr heute
Urlaub im Gebirge

Bitten Sie nun die Lerner, fünf bis acht Sätze zu einem der drei Themen zu formulieren, sie auf ei-nen Zettel zu schreiben, dann die letzten zwei oder drei Wörter abzureißen und den Satzanfang dem Nachbarn zur Ergänzung weiterzureichen. Der „Ghostwriter" bekommt jeweils einen Punkt, wenn er den Satzinhalt im Sinne des „Schriftstellers" ergänzt, und zwei Punkte, wenn er in seinem Satzfragment einen Fehler entdeckt.

In dieser Übungsphase wird es Ihre Aufgabe sein, zwischen den Lernern herumzuspringen und Sätze zu beurteilen.

3. Fordern Sie zum gegebenen Zeitpunkt zu einem Partnerwechsel auf, aber dehnen Sie die Übung nicht zu lange aus, damit sich keine Ermüdungserscheinungen einstellen.

Hinweis: Bei dieser Übung arbeiten die Lerner auf drei Ebenen: auf der pragmatischen, der semantischen und der syntaktischen. Von ihnen wird auch die mentale Strukturierung – dies meist unbewusst – vorgenommen. Der Lehrer ist nur ein Resonanzkörper und tritt nur auf Anfrage in Funktion. Wir haben hier ein typisches Beispiel für den *Silent Way*.

Idee: Bruno Rinvolucri

27 Gedicht-Rekonstruktion

GRAMMATIK:	Substantive, Pronomen, Verben etc.
NIVEAU:	★ ★ ★
DAUER:	20 Min.
MATERIAL:	Eine Kopie des Gedichts pro Lerner
	Eine Kopie „Verben im Gedicht" für je zwei Lerner
	Eine Kopie „Substantive und Pronomen im Gedicht" für je zwei Lerner
	Eine Kopie „Sonstige Wörter im Gedicht" für je zwei Lerner

VERLAUF:

1. Kündigen Sie an, dass Sie nun ein kurzes Gedicht (z. B. Franz Grillparzer, *Der Fischer*, Kopiervorlage 22) vorlesen werden. Die Lerner sollen alle Schlüsselwörter notieren, die ihnen beim Zuhören auffallen. Nachdem Sie das Gedicht vorgelesen haben, ist es Aufgabe der Lerner, es so vollständig wie möglich zu rekonstruieren. Kündigen Sie schon vorab an, dass Sie das Gedicht nur einmal vorlesen.

2. Verteilen Sie eine Kopie der Blätter mit – je nach Wahl – allen Verben, allen Substantiven und Pronomen oder allen sonstigen Wörtern aus dem Gedicht (Kopiervorlagen 23–25), und bilden Sie jeweils eine Gruppe aus denjenigen Lernern, die sich für die gleiche Wortart entschieden haben.

3. Wenn Sie diese Übung zum ersten Mal durchführen, gehen Sie über die Regel, das Gedicht nur einmal vorzulesen, hinweg, denn wahrscheinlich ist den Lernern die Schwierigkeit der Aufgabe nicht bewusst. Lesen Sie das Gedicht deshalb in dem Fall ein zweites Mal vor, während die Lerner es auf ihrem Blatt (Verben, Substantive etc.) verfolgen können.

4. Geben Sie den Lernern etwas Zeit, um die von ihnen notierten Schlüsselwörter und die auf dem Blatt stehenden Wörter zusammenzufügen. Dabei fallen ihnen sicherlich viele weitere Begriffe ein.

5. Anschließend arbeiten die Lerner der drei verschiedenen Gruppen paarweise oder in Dreiergruppen zusammen. Mit Hilfe der Informationen des Partners bzw. der Partner können sie ihren Text noch weiter vervollständigen.

6. Bitten Sie einen Lerner, die vollständige Version des rekonstruierten Gedichts mit Unterstützung der ganzen Gruppe an die Tafel zu schreiben.

7. Verteilen Sie eine Kopie des vollständigen Gedichts an alle Lerner.

Hinweis: Diese Übung kann mit jedem Gedichtauszug durchgeführt werden. Für die Grammatikarbeit ist es vorteilhaft, wenn das Gedicht die gewünschte Struktur enthält. Gedichte eignen sich häufig besonders gut für dieses Verfahren, weil die enthaltenen Strukturen das ganze Gewicht der Bedeutung tragen.

Idee: Jane Lockwood

Der Fischer

Hier sitz ich mit lässigen Händen,

in still behaglicher Ruh,

und schaue den spielenden Fischlein

im glitzernden Wasser zu.

Sie jagen und gehen und kommen;

doch werf ich die Angel aus,

flugs sind sie von dannen geschwommen,

und leer kehr ich abends nach Haus.

Versucht ich's und trübte das Wasser,

vielleicht geläng es eh;

doch müsst ich dann auch verzichten,

sie spielen zu sehen im See.

FRANZ GRILLPARZER, *Der Fischer*

Der Fischer

_____ sitz _____ ,

_____ ,

_____ schaue _____

_____ zu.

_____ jagen   gehen   kommen; ____

_____ werf _____ aus, _____

_____ sind   von dannen geschwommen, ____

_____ kehr _____ .

Versucht _____ trübte _____ ,

_____ geläng _____ ; ____

_____ müsst _____ verzichten, ____

_____ spielen zu sehen _____ .

FRANZ GRILLPARZER, _Der Fischer_

Der Fischer

_____ ich _____ Händen,

_____ Ruh,

_____ Fischlein

_____ Wasser   .

Sie _____ ;

_____ ich   Angel   ,

_____ sie   ,

_____ ich   Haus.

_____ ich's   Wasser,

_____ es   ;

_____ ich   ,

sie _____ See.

FRANZ GRILLPARZER, _Der Fischer_

Der Fischer

Hier _____ mit lässigen _____ ,

in still behaglicher _____ ,

und _____ den spielenden _____

im glitzernden _____ .

_____ und _____ und _____ ;

doch _____ ,

flugs _____ ,

und leer _____ abends nach _____ .

_____ und _____ das _____ ,

vielleicht _____ eh;

doch _____ dann auch _____ ,

_____ im _____ .

FRANZ GRILLPARZER, *Der Fischer*

28 Mit dem Rücken zur Klasse

GRAMMATIK:	Fragewörter, Präsens, Präteritum
NIVEAU:	★ ★
DAUER:	20 Min.
MATERIAL:	Keines

VERLAUF:

1. Schreiben Sie drei Wörter an die Tafel, z. B. *Explosion, Hausmeister, Dach.* Erklären Sie den Lernern, dass dies drei Schlüsselwörter aus einer Geschichte sind, die Sie im Kopf haben. Die Lerner müssen nun versuchen, den Inhalt der Geschichte herauszufinden, indem sie Ihnen Fragen stellen, die nur mit JA oder NEIN zu beantworten sind. Da die Übung völlig stumm abläuft, sind die Lerner genötigt, ihre Fragen an die Tafel zu schreiben.

2. Kehren Sie der Klasse den Rücken und schauen Sie auf die Tafel. Erklären Sie vorab, dass Sie, sobald ein Lerner eine Frage an die Tafel geschrieben hat, mit dem Daumen nach oben zeigen werden, wenn sie grammatikalisch richtig ist, und dass Sie mit dem Daumen nach unten zeigen, wenn sie falsch ist. Ist eine Frage falsch formuliert, müssen der Lerner und der Rest der Gruppe versuchen, sie zu korrigieren.
   Sobald die Frage korrekt an der Tafel steht, antworten Sie durch Kopfnicken mit JA oder durch Kopfschütteln mit NEIN.

3. Während die Lerner Ihnen die Fragen stellen, indem sie sie stumm an die Tafel schreiben, können Sie, wenn nötig, ein weiteres Schlüsselwort angeben.

Am Ende können Sie die Geschichte eventuell erzählen oder vorlesen, um die Neugier der Lerner zu stillen, die vielleicht wissen wollen, was nun wirklich passiert ist.

Die Geschichte

Mein Bruder erzählte mir von folgendem Ereignis: Der Hausmeister einer Sporthalle, ein Freund von ihm, erwachte eines Morgens und merkte, dass es die ganze Nacht über heftig geschneit hatte. Als er hinausging, um nachzusehen, wie viel Schnee gefallen war, merkte er, dass das Dach so hoch mit Schnee bedeckt war, dass es einzustürzen drohte. Er nahm einen Stock und stieg auf das Dach, um es vom Schnee zu befreien, doch durch sein Gewicht wurde das Dach zusätzlich belastet und stürzte ein. Dadurch wurde die Luft in der Sporthalle so sehr zusammengepresst, dass die Tür plötzlich mit einem Ohren betäubenden Knall wie bei einer Explosion aufsprang.

Hinweis: Wenn Sie die Übung zum ersten Mal durchführen, sind die Lerner möglicherweise etwas schockiert darüber, dass sie nur mit Ihrem Rücken kommunizieren müssen. Sie werden sich aber schnell daran gewöhnen, denn dadurch, dass Sie den Lernern den Rücken zukehren, verhalten Sie sich automatisch viel neutraler. Ihr Eingreifen in den Lernprozess ist somit auf ein Minimum reduziert.
   Bei dieser Übung konzentrieren sich die Lerner intensiv auf die Grammatik, und das ursprüngliche Interesse am Inhalt der Geschichte weicht dem Bemühen, korrekte Fragen zu formulieren.

Idee: Diese Übung ist eine fruchtbare Mischung der *Silent-Way*-Methode von Gattegno und der Idee von Puzzle-Geschichten.

29 Korrektur von Hausaufgaben

GRAMMATIK:	Fehler in den Hausaufgaben (verschiedene Strukturen)
NIVEAU:	★★ bis ★★★
DAUER:	30–40 Min.
MATERIAL:	Ein Arbeitsblatt „Team A" für je 2–3 Lerner Ein Arbeitsblatt „Team B" für je 2–3 Lerner Ein großes leeres Plakat pro Gruppe von 6–8 Lernern

VORBEREITUNG:

Verzichten Sie darauf, die Hausaufgaben zu korrigieren.

Wählen Sie statt dessen aus den Hausaufgaben 12 Sätze aus, die für Ihre Gruppe typische Fehler enthalten. Schreiben Sie die Hälfte der Sätze auf das Arbeitsblatt „Team A", die andere Hälfte auf das Arbeitsblatt „Team B".

Schreiben Sie dann die korrekte Version der auf Blatt A stehenden fehlerhaften Sätze auf Blatt B und umgekehrt. Auf jedem Blatt müssen die richtigen und falschen Sätze gut gemischt sein.

Die Kopiervorlage 26 enthält Beispiele, die etwa dem Niveau ★★ entsprechen.

VERLAUF:

1. Geben Sie die Hausaufgaben noch nicht zurück. Lassen Sie Sechser- oder Achtergruppen bilden, und teilen Sie jede Gruppe in Team A und Team B. Die beiden Teams arbeiten getrennt voneinander. Verteilen Sie die Arbeitsblätter und bitten Sie die Lerner eines jeden Teams zu entscheiden, welche Sätze auf ihrem Blatt korrekt und welche falsch sind.

2. Gehen Sie während dieser Phase der Übung umher und verfolgen Sie die Diskussion der Lerner. Wenn Sie etwas gefragt werden, verweigern Sie jede Hilfe, denn andernfalls funktioniert die Übung nicht mehr.

3. Wenn die Mehrzahl der Gruppen alle Sätze besprochen hat, geben Sie jeder aus Team A und Team B bestehenden Gruppe ein großes Plakat mit der Bitte, es an die Wand zu heften. Einer aus der Gruppe übernimmt die Aufgabe des Sekretärs und beschriftet das Plakat.

Bitten Sie nun alle A-Teams, den ersten Satz zu lesen. Die B-Teams sehen sich den entsprechenden Satz auf ihrem Blatt an. In Zusammenarbeit entscheiden beide Gruppen, welcher der beiden Sätze der richtige ist; der Sekretär schreibt ihn dann auf das an der Wand befestigte Plakat.

4. Bitten Sie anschließend die Sekretäre, alle Sätze vorzulesen, die ihre Gruppe für richtig befunden hat. Lassen Sie etwas Zeit zur Diskussion, bevor Sie eingreifen und das Ergebnis bewerten. Erst in dieser Phase der Übung dürfen Sie Ihre Rolle als Kursleiter tatsächlich wahrnehmen.

5. Geben Sie nun die Hausaufgaben zurück, und bitten Sie die Lerner, sich diese gegenseitig zu korrigieren. Sicher gibt es noch eine Reihe von weiteren Fehlern außer denen, die Sie in die Sätze auf den Arbeitsblättern eingebaut haben. Es kann sein, dass nicht alle Fehler korrigiert werden, aber stören Sie sich nicht daran – es ist nicht möglich, alles zur gleichen Zeit wirklich effizient zu korrigieren.

Hinweis: Sie werden feststellen, dass die Lerner sich nicht darauf beschränken, die von Ihnen ausgewählten wirklich offensichtlichen grammatischen Probleme innerhalb der Sätze zu behandeln. Oft entstehen Zweifel in bezug auf ganz andere Grammatikphänomene, an die Sie bei der Auswahl der Sätze überhaupt nicht gedacht haben.

Ist der Zug noch nicht angekommen? – Doch, vor 5 Minuten.

Als Kind musste ich immer meine Geschwister aufpassen.

Als ich klein war, habe ich die Ferien oft bei meinen Großeltern verbracht.

Wie lange wohnst du schon in Stuttgart? – Erst drei Monate.

Der roter Pullover steht dir gut, aber ein grüner wäre auch nicht schlecht.

Hoffentlich der Kellner kann uns ein Taxi besorgen.

Heute bin ich nicht mit dem Auto gekommen, sondern mit dem Bus.

Hier müssen Sie nicht parken, das ist eine Einfahrt.

Ist das Zimmer noch frei? – Nein, nicht mehr. Ich habe es gestern vermietet.

Meine Frau kocht heute nicht, aber ich bin auch hungrig nicht.

Wir treffen uns heute Abend im „Ratskeller" zu einem Glas Wein.

Der Täter wurde an seine Stimme erkannt.

Korrektur von Hausaufgaben – Arbeitsblatt „Team B"
(eine Kopie für je zwei bis drei Lerner)

Meine Frau kocht heute nicht, aber ich bin auch nicht hungrig.

Wir treffen uns heute Abend im „Ratskeller" für einem Glas Wein.

Hoffentlich kann uns der Kellner ein Taxi besorgen.

Hier dürfen Sie nicht parken, das ist eine Einfahrt.

Wie lange wohnst du schon in Stuttgart? – Noch drei Monate.

Der rote Pullover steht dir gut, aber ein grüner wäre auch nicht schlecht.

Der Täter wurde an seiner Stimme erkannt.

Ist das Zimmer noch frei? – Nein, noch nicht. Ich habe es gestern vermietet.

Wenn ich klein war, habe ich die Ferien oft bei meinen Großeltern verbracht.

Heute bin ich nicht mit dem Auto gekommen, aber mit dem Bus.

Als Kind musste ich immer auf meine Geschwister aufpassen.

Ist der Zug noch nicht angekommen? – Ja, vor 5 Minuten.

30 Fehler bewerten

GRAMMATIK:	Fehler in der geschriebenen Sprache
NIVEAU:	★ ★
DAUER:	30–40 Min.
MATERIAL:	Eine Seite mit Fehlern aus einer schriftlichen Arbeit der Lerner

VERLAUF:

1. Schreiben Sie etwa sechs deutsche Sätze an die Tafel, in denen Fehler enthalten sind. Bitten Sie die Lerner, in Zweiergruppen zu arbeiten und den Schweregrad der Fehler mit einer Punktezahl von 0 bis 5 zu bewerten.

Fordern Sie die Lerner auf, zu jedem Satz eine Beurteilung abzugeben. Achten Sie darauf, dass die Lerner ihr eigenes Urteil entwickeln und nicht Sie es sind, der/die ihnen Ihre Bewertung aufdrängt. Verzichten Sie auf jeglichen eigenen Kommentar, auch wenn die Lerner Sie darum bitten.

2. Verteilen Sie nun an jeweils zwei Lerner das Blatt mit den Fehlern aus der schriftlichen Arbeit. Bitten Sie die Lerner, auch diesmal die Fehler je nach Schweregrad mit einer Punktezahl von 0 bis 5 zu bewerten. Sie können Unterstützung geben, wenn sich die Lerner über einen Fehler nicht im Klaren sind.

3. Wählen Sie einige der deutschen Sätze aus, und bitten Sie die Zweiergruppen, Ihnen ihre Kriterien für die Bewertung der Fehler zu nennen. Lassen Sie ein wenig Raum für die Diskussion, aber mischen Sie sich nicht ein.

4. Fordern Sie die Lerner nun auf, sich ihre schriftlichen Arbeiten gegenseitig vorzulesen und zu korrigieren und dabei ebenfalls die Fehler mit 0 bis 5 Punkten zu bewerten.

Idee: John Morgan

31 Mit geschlossenen Augen

GRAMMATIK:	Perfekt (unregelmäßige Verben)
NIVEAU:	★ bis ★★★
DAUER:	15–25 Min.
MATERIAL:	Keines

VERLAUF:

1. Schreiben Sie eine Liste von Verben mit unregelmäßigen Formen des Partizips Perfekt an die Tafel, z. B.:

schreiben	GESCHRIEBEN
verlieren	VERLOREN
nehmen	GENOMMEN
kommen	GEKOMMEN
finden	GEFUNDEN
denken	GEDACHT
stehen	GESTANDEN

Vergewissern Sie sich, dass alle die Bedeutung dieser Verben kennen.

2. Teilen Sie den Kurs in Gruppen von 10 Personen, und bitten Sie jede Gruppe, einen Stuhlkreis zu bilden. Erklären Sie, dass es sich um ein Konzentrationsspiel handelt, bei dem die Augen geschlossen sein müssen. Fordern Sie die Lerner auf, sich gut umzusehen, bevor sie die Augen schließen.

Bitten Sie dann den ersten Lerner, einen beliebigen Satz im Perfekt zu bilden und darin eines der angegeben Verben oder ein anderes seiner Wahl zu verwenden; der Satz kann eine wahrheitsgemäße Aussage enthalten oder auch nicht; er könnte beispielsweise so lauten:

Ich habe meiner Schwester einen Brief geschrieben.

Alle haben die Augen geschlossen. Der rechte Nachbar des Sprechers wiederholt nun den Satz in der ersten Person und fügt einen eigenen Satz hinzu, z. B. wiederholt er:

Ich habe meiner Schwester einen Brief geschrieben.

und fügt hinzu:

Ich habe meinen Hausschlüssel verloren.

Der dritte Lerner – weiterhin in der Abfolge des Kreises – wiederholt die ersten beiden Sätze und fügt seinerseits einen weiteren hinzu etc.

3. Setzen Sie das Spiel fort. Einigen Gruppen gelingt es, mit ihren Sätzen mehr als einmal die komplette Runde durch den Kreis zu machen, so dass am Ende möglicherweise 15, 20 oder gar 30 Sätze im Perfekt zu behalten sind.

4. Lassen Sie den Lernern nach Abschluss des Spiels etwas Zeit, Vermutungen darüber anzustellen, welche der Sätze wohl der Wahrheit entsprochen haben und welche nicht.

VARIANTE:

Dieses Konzentrationsspiel, bei dem darauf zu achten ist, aus welcher Richtung die Stimme kommt, eignet sich, um jede beliebige grammatische Struktur zu festigen.

Hinweis: Übungen mit geschlossenen Augen wie diese sind beim Erlernen einer Fremdsprache äußerst nützlich; sie können dazu beitragen, Personen in die Welt des „Klanges" einzubeziehen, deren bevorzugter Wahrnehmungskanal normalerweise nicht der Gehörsinn ist.

Idee: Stanislawski da Gregory

32 Was haben sie gemeinsam?

GRAMMATIK:	Gebrauch des unbestimmten Artikels
NIVEAU:	★ ★ ★
DAUER:	30 Min. in der ersten und 30 Min. in der zweiten Unterrichtsstunde
MATERIAL:	Kopie der Seite mit den abgebildeten Vögeln

VERLAUF (erste Stunde):

1. Bitten Sie die Lerner, sieben Sätze aufzuschreiben, die mit
Ein Vogel ...
Vögel ...
beginnen. Erklären Sie, dass die Sätze Charakteristika enthalten müssen, die auf *alle* Vögel zutreffen. Somit führen die Sätze zu einer allgemeinen Definition dessen, was ein Vogel ist. Gehen Sie umher, während die Lerner schreiben, helfen Sie bei Wortschatzproblemen und korrigieren Sie gelegentliche Fehler.

2. Bilden Sie Zweiergruppen und bitten Sie die Lerner, sich ihre Sätze gegenseitig vorzulesen; dabei sollen sie überprüfen, ob die Aussagen auch tatsächlich für *alle* Vögel gelten. Verteilen Sie dann ein Blatt mit den abgebildeten Vögeln (Kopiervorlage 27) an jeweils zwei Lerner.

3. Bitten Sie danach einen Lerner an die Tafel. Jede Zweiergruppe trägt ihre besten Definitionen vor, die an der Tafel festgehalten werden. Wenn ein Satz einen Fehler enthält, bitten Sie die Gruppe, ihn zu korrigieren, statt selber einzugreifen.

VERLAUF (zweite Stunde):

1. Bitten Sie alle Lernerinnen, sieben Sätze aufzuschreiben, die mit
Ein Bruder ...
Brüder ...
beginnen. Bitten Sie alle männlichen Lerner, sieben Sätze aufzuschreiben, die mit
Eine Schwester ...
Schwestern ...
beginnen. Betonen Sie, dass es sich um Sätze handeln muss, die sich auf Brüder bzw. Schwestern im allgemeinen beziehen, nicht auf den eigenen Bruder oder die eigene Schwester.

2. Bitten Sie einen Sekretär und eine Sekretärin, an die Tafel zu kommen und eine Reihe von Parallelen zwischen den Aussagen über die Brüder und über die Schwestern aufzulisten.

Idee: Alan Baddeley

der Pelikan

der Spatz

die Meise

der Pinguin

der Strauß

III. Grammatik und persönliche Erfahrung

33 Mein Tagesablauf

GRAMMATIK:	Indikativ Präsens, reflexive Verben
NIVEAU:	★
DAUER:	30 Min.
MATERIAL:	Stundentafel
	Mehrere Würfel

VERLAUF:

1. Bilden Sie Vierergruppen und geben Sie jeder Gruppe eine Stundentafel (Kopiervorlage 28) und einen Würfel. Erklären Sie, dass es sich bei den Zahlen auf dem Blatt um Uhrzeiten handelt, angefangen mit 6 Uhr früh in der linken unteren Ecke. Jeder Lerner verwendet eine Münze als Spielfigur und setzt sie auf das Feld mit der Uhrzeit, zu der er an einem normalen Arbeitstag aufsteht.

2. Bitten Sie nun die Lerner jeder Gruppe, reihum zu würfeln und jeweils um die gewürfelte Augenzahl vorzurücken. Bei jedem Feld, auf das sie gelangen, müssen sie angeben, was sie zu dieser Uhrzeit normalerweise tun. Achten Sie darauf, dass die Sätze immer eine Zeitangabe enthalten, z. B.: *Ich frühstücke normalerweise um 7.15.*

Wenn die Tätigkeit nur ungenau angegeben wird, wie z. B. *Dann arbeite ich.*, müssen die anderen Gruppenmitglieder nachfragen, um eine präzisere Information zu bekommen. Anschließend ist der Nächste mit Würfeln an der Reihe. Und so weiter.

3. Wenn die Mehrzahl der Lerner die Uhrzeit erreicht hat, zu der mit der Arbeit begonnen wird, lassen Sie die ganze Gruppe mit ihren Spielfiguren auf eine Uhrzeit vorrücken, die etwa eine halbe Stunde vor Feierabend liegt. Die Übergangszeiten sind bei diesem Spiel die interessantesten. Das Erreichen des Ziels auf dem Spielfeld hat nur eine sekundäre Bedeutung.

Sollten Sie eine Gruppe von jüngeren Schülern unterrichten, können diese den Tagesablauf einer erwachsenen berufstätigen Person aus ihrer Familie zugrundelegen.

9.30	9.45	10.00	10.15	10.30	11.00 Nacht **START**
9.15	9.00	8.45	8.30	8.00	7.45
6.15	6.30	6.45	7.00	7.15	7.30
6.00	5.45	5.30	5.15	5.00	4.45
3.00	3.15	3.30	3.45	4.00	4.30
2.45	2.30	2.15	2.00	1.45	1.30
12.00	12.15	12.30	12.45	1.00	1.15
11.45	11.30	11.15	11.00	10.45	10.30
9.00	9.15	9.30	9.45	10.00	10.15
8.45	8.30	8.15	8.00	7.45	7.30
ZIEL 6.00 Tag	6.15	6.30	6.45	7.00	7.15

34 Dein Tagesablauf ist meiner

GRAMMATIK:	Präsens
	(gewohnheitsmäßige Handlungen)
NIVEAU:	★
DAUER:	30 Min.
MATERIAL:	Keines

VERLAUF:

1. Bitten Sie die Lerner, in zehn Sätzen zehn Dinge aufzuschreiben, die sie normalerweise am Sonntag oder an einem Feiertag tun, z. B.

Ich stehe um ... auf.
Ich frühstücke um ...
Um 9 Uhr ...
Ich schlafe normalerweise bis 10.

2. Bilden Sie Zweiergruppen. Erklären Sie den Lernern, dass sie nichts aufschreiben dürfen, sondern nur das, was sie hören, so genau wie möglich behalten sollen.
A liest B nun seinen Tagesablauf vor.
(A: *Ich schlafe normalerweise bis 10 ...*)
B liest seinerseits A seinen Tagesablauf vor.
(B: *Ich stehe immer sehr früh auf ...*)

3. Bitten Sie nun die Lerner, sich zu neuen Zweiergruppen zusammenzufinden.
B übernimmt dabei die Identität von A und erzählt C „seinen" (d.h. A's) Tagesablauf.
(B: *Ich bin A und ich schlafe normalerweise bis 10 ...*)

A übernimmt die Identität von B und erzählt D „seinen" Tagesablauf.
(A: *Ich bin B und ich stehe immer früh auf ...*)

4. Die Lerner wechseln noch einmal ihre Partner. Sie übernehmen nun die Identität derjenigen Person, deren Tagesablauf sie zuletzt erfahren haben, wobei sie sich bemühen, die Sätze so gut wie möglich zu behalten.
C übernimmt also die Identität von A und erzählt E „seinen" Tagesablauf (d.h. den von A).
(C: *Ich bin A und ich schlafe normalerweise bis 10 ...*)
D übernimmt die Identität von B und erzählt F „seinen" Tagesablauf (d.h. den von B).
(D: *Ich bin B und ich stehe immer früh auf ...*)

5. Bitten Sie nun jeden Lerner, zu demjenigen zu gehen, dessen Tagesablauf sie zuletzt erfahren haben, und ihm diesen Tagesablauf als ihren eigenen zu präsentieren:
E erzählt A „seinen" Tagesablauf (d.h. A's eigenen).
(E: *Ich bin A und ich schlafe normalerweise bis 10 ...*)
F erzählt B „seinen" Tagesablauf (d.h. B's eigenen).
(F: *Ich bin B und ich stehe immer früh auf ...*)

An diesem Punkt liest nun die betroffene Person ihre ursprünglichen zehn Sätze vor; oft gibt es große Unterschiede zwischen dem Tagesablauf, den ein Lerner ursprünglich formuliert hat und demjenigen, der ihm nun als sein eigener präsentiert wird.

35 Berichterstattung

GRAMMATIK:	Indirekte Rede, Präsens
NIVEAU:	★ ★
DAUER:	15–20 Min.
MATERIAL:	Keines

> **Sie hat mir gesagt,** dass sie diesen Sommer mit ihrem Mann und ihren Kindern in die Schweiz fahren **möchte** und **dass sie hofft,** schönes Wetter zu haben, damit sie viele Ausflüge in die Berge machen können.

VERLAUF:

1. Bilden Sie Zweiergruppen. Bitten Sie jeweils einen Partner oder eine Partnerin, ein kleines 2-minütiges Referat über seine oder ihre Urlaubspläne oder über ein anderes bevorstehendes und freudiges Ereignis vorzubereiten. Geben Sie eine Minute Vorbereitungszeit.

2. Bitten Sie dann den jeweiligen anderen Partner, dem Redner oder der Rednerin äußerst aufmerksam zuzuhören, aber sich keine Notizen zu machen. Dann geben Sie das Startzeichen für die Redner und stoppen die Zeit von zwei Minuten.

3. Bitten Sie nun die Paare, mit einem anderen Paar eine Vierergruppe zu bilden. Die beiden „Zuhörer" berichten, was sie gehört haben, und zwar nach folgendem Modell:

Die „Referenten" haben natürlich das Recht, Informationen zu ergänzen, die vergessen worden sind, sie dürfen dies jedoch erst tun, wenn die „Zuhörer" mit ihrer Berichterstattung zu Ende sind.

4. Die Lerner kehren nun zu ihrem ursprünglichen Partner zurück und wiederholen die Übung mit vertauschten Rollen, damit jeder Lerner seine Urlaubspläne mit den anderen teilen kann.

VARIANTE:

Auf einem weit fortgeschritteneren Niveau kann mit diesem Übungstyp die Zeitenfolge behandelt werden. In diesem Fall muss sich das Referat auf ein Ereignis in der Vergangenheit beziehen, z. B. auf den letzten Urlaub, auf ein Erlebnis der letzten Woche etc.

36 So sehe ich dich

GRAMMATIK:	Zeitbegriffe, Verbformen: Präsens, Infinitiv
NIVEAU:	★ ★
DAUER:	30 Min.
MATERIAL:	Kopien der Satzanfänge

VERLAUF:

1. Verteilen Sie das Blatt mit den Satzanfängen (Kopiervorlage 29), und geben Sie jedem ein Exemplar mit der Bitte, es in Einzelarbeit so sorgfältig wie möglich zu vervollständigen.

2. Bilden Sie Dreiergruppen. Die Lerner dürfen sich ihre Blätter gegenseitig nicht zeigen. Daher ist es am günstigsten, die Gruppen aus Personen zusammenzusetzen, die in der ersten Phase nicht neben einander gesessen haben.

Innerhalb jeder Gruppe sollen nun die Lerner B und C herausfinden, was A morgens nach dem Aufstehen als erstes tut (vgl. Satz 1). Sie müssen so lange fragen, bis sie so nah wie möglich an die richtige Antwort herangekommen sind. Dann muss A den entsprechenden Satz, so wie er ihn ausgefüllt hat, vorlesen.

Anschließend versuchen A und C in gleicher Weise, etwas über B herauszufinden und so weiter.

Idee: Helen Green

Das Erste, was ich morgens nach dem Aufstehen tue, ist _____

Bevor Gäste kommen, _____

Vor dem Einschlafen_____

Wenn ich vor etwas Angst habe, _____

Jedesmal, wenn ich etwas vergesse, _____

Wenn das Telefon klingelt,_____

Sobald ich abends nach Hause komme, _____

Das Letzte, was ich vor dem Einschlafen tue, ist _____

Bevor ich bade oder dusche, _____

Wenn ich merke, dass jemand böse auf mich ist, _____

37 Negativ/Positiv

GRAMMATIK:	*Noch nicht*, Perfekt (Varianten: *dürfen, müssen*, Präteritum, Futur, Bedingungssatz)
NIVEAU:	★ ★ bis ★ ★ ★
DAUER:	30–40 Min.
MATERIAL:	Keines

VERLAUF:

1. Schreiben Sie auf eine Seite der Tafel:

> Positive Erfahrungen, die ich noch nicht gemacht habe:

und auf die andere Seite:

> Negative Erfahrungen, die ich noch nicht gemacht habe:

2. Bitten Sie zwei Personen aus der Gruppe, die eine gut lesbare Handschrift haben, sich als Sekretäre an den beiden Seiten der Tafel aufzustellen. Die übrigen Lerner sind aufgefordert, positive oder negative Erfahrungen zu nennen, die sie noch *nicht* gemacht haben:

Ich habe (noch) nicht ...
Ich habe (noch) nie ...
Ich habe noch kein/e/en ...

Die jeweiligen Sekretäre schreiben die Sätze an die Tafel. Fahren Sie so lange fort, bis beide Seiten der Tafel voll sind mit Sätzen im Perfekt, etwa 10-20 pro Seite.

3. Lassen Sie die Lerner nun paarweise arbeiten und herausfinden, welches die fünf besten und die fünf schlimmsten Erfahrungen sind, die sie beide noch nicht gemacht haben.

4. Fordern Sie die Paare nun auf – je nach Klasse – zu Vierer– oder Achtergruppen zusammenzukommen, so dass die Paare sich gegenseitig berichten können, welches ihre fünf besten und schlimmsten – nicht gemachten – Erfahrungen sind.

VARIANTE 1:
1. Schreiben Sie auf eine Seite der Tafel:

> Was ich mit ... Jahren machen durfte:

und auf die andere Seite:

> Was ich mit ... Jahren machen musste:

2. Wie oben, kommen zwei Lerner als Sekretäre an die Tafel. Achten Sie darauf, dass die Lerner bei jedem Satz, den sie vorgeschlagen haben, den Hintergrund in ausreichender Weise erläutern, so dass alle den Sinn des Satzes verstehen. So z.B. wird die Erfahrung einer Lernerin *„Ich durfte bis 8 Uhr bei meiner Freundin spielen."* erst dann verständlich, wenn sie erklärt, dass sie im Dunkeln eine lange Wegstrecke allein zu Fuß durch ein ziemlich gefährliches Viertel am Rande einer Großstadt zurücklegen musste.

3. Bitten Sie die Lerner, nun vier Sätze mit *dürfen* und vier mit *müssen* über ihre Kinder zu schreiben, z.B.: *„Meine Kinder dürfen bis 21 Uhr fernsehen."* Wer keine Kinder hat, kann einen Bedingungssatz bilden, z.B.: *„Wenn ich Kinder hätte, müssten sie im Haushalt mithelfen."*

4. Lassen Sie die Sätze in Vierergruppen diskutieren.

VARIANTE 2:
Auch folgende Strukturen bieten sich für diese Übungsform an:

Dinge, die ich kann
Dinge, die ich können sollte

Was ich muss
Was ich freiwillig mache

Was ich nicht tun würde, wenn ich es nicht müsste
Was ich tun würde, wenn ich es könnte

38 Das erinnert mich an ...

GRAMMATIK:	*Das erinnert mich an* (+ Akkusativ)
	Dabei denke ich an (+ Akkusativ)
	Dabei fällt mir ... (+ Nominativ) *ein*
NIVEAU:	★
DAUER:	15 Min.
MATERIAL:	Eine große Anzahl von Fotos, am besten Familienfotos, auf denen Sie selber aber nicht abgebildet sind. Wenn Sie eine Gruppe von 15 Lernern haben, benötigen Sie etwa 50 Stück. Die Fotos müssen einzeln auf einem Tisch ausgebreitet werden können.

VERLAUF:

1. Breiten Sie die Fotos auf einem Tisch aus und bitten Sie die Lerner, eines auszuwählen, das sie an einen Augenblick, ein Ereignis oder einen Abschnitt in ihrem Leben erinnert.

2. Schreiben Sie an die Tafel:

> Das erinnert mich an ...
> Dabei denke ich an ...
> Dabei fällt mir ... ein.

3. Fordern Sie die Lerner nun auf, zu ihrem Foto drei Sätze aufzuschreiben, von denen jeder eine unterschiedliche Erinnerung beinhaltet.

4. Anschließend bilden die Lerner kleine Gruppen, in denen sie sich gegenseitig die Fotos zeigen, die sie ausgewählt haben. Dabei lesen sie ihre Sätze mit den Erinnerungen vor und führen diese, wenn nötig, weiter aus.

39 Unser Leben

GRAMMATIK:	Perfekt
NIVEAU:	★ ★
DAUER:	30–40 Min.
MATERIAL:	10 kleine Klebezettel pro Lerner
	Ein Würfel pro Dreiergruppe
	Ein großes leeres Plakat pro Dreier-gruppe

VERLAUF (erste Stunde):

Geben Sie jedem Lerner zehn Klebezettel. Bitten Sie sie, auf jeden Zettel einen Satz zu schreiben, der sich auf ein wichtiges Ereignis in ihrem Leben bezieht, und auch Monat und Jahr des Ereignisses anzugeben, z. B.:

> September 1970
> Mein Vater ist gestorben. Er war 42 Jahre alt.

> Juli 1979
> Ich bin zum ersten Mal mit einem Flugzeug geflogen.

> Juni 1981
> Ich habe das Abitur gemacht.

VERLAUF (zweite Stunde):

1. Bilden Sie Dreiergruppen. Die Lerner sind nun aufgefordert, die Sätze auf den Zetteln der anderen zu lesen und gegenseitig ihre Fehler zu korrigieren. Gehen Sie umher und helfen Sie, wo es nötig ist.

2. Geben Sie jeder Gruppe ein großes leeres Plakat. Bitten Sie die Lerner, ihre 30 Zettel in chronologischer Reihenfolge auf das Plakat zu kleben.

3. Nun würfelt der Lerner A jeder Gruppe, rückt auf den chronologisch angeordneten Zetteln um die gewürfelten Augenzahl vor und landet auf einem Satz. Derjenige, dem dieser Satz gehört, muss nun eine Minute lang über das Ereignis sprechen, das er darin erwähnt hat.

Danach kommt B mit Würfeln und Ziehen an die Reihe. Auch in diesem Fall spricht der Urheber des Satzes über das erwähnte Ereignis. Kommt ein Spieler auf einen Zettel, der bereits behandelt wurde, muss er bis zum nächsten noch nicht besprochenen vorrücken.

4. Das Spiel ist zu Ende, wenn alle Spieler den kompletten Rundgang über alle Zettel gemacht haben. Wenn danach einige Lerner auf ihre Sätze, die noch nicht besprochen wurden, zurückkommen und über das Ereignis berichten wollen – umso besser!

Während die Lerner sprechen, gehen Sie umher und geben Unterstützung bei lexikalischen Problemen oder greifen unauffällig korrigierend ein.

40 Kleine Talkshow

GRAMMATIK:	Verbformen (Präsens, Präteritum, Perfekt, Futur)
NIVEAU:	★ ★
DAUER:	20–30 Min.
MATERIAL:	3 bequeme Stühle

VERLAUF:

1. Stellen Sie drei Stühle in folgender Weise auf:

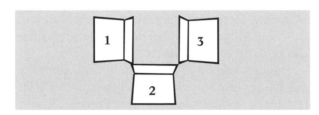

Der erste Stuhl dient zum Erzählen von Vergangenem, der zweite ist dem gegenwärtigen Geschehen und Befinden gewidmet, und der dritte ist auf die Erwartungen an die Zukunft ausgerichtet.

2. Beginnen Sie mit dem Spiel, indem Sie sich nacheinander auf die drei Stühle setzen und jeweils über sich selbst sprechen. Seien Sie dabei möglichst authentisch. Hier ein Beispiel:

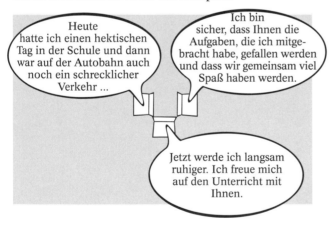

3. Verlassen Sie nun die Stühle und bitten Sie die Lerner, der Reihe nach fortzufahren.

4. Es ist erlaubt (und auch wünschenswert), dass das „Publikum" dem „Protagonisten" jeweils Fragen zu seinen Ausführungen stellt, die dieser auch ehrlich beantworten sollte. Aufgrund der obigen Beispiele könnte etwa gefragt werden:

> Auf welcher Autobahn?

Oder:

> Was für Aufgaben haben Sie mitgebracht?
> Ein Spiel?

Hinweis: Diese Übung eignet sich besonders gut als Vorstellungsrunde in einem neu zusammengesetzten Fortgeschrittenenkurs. In diesem Fall kann der Vergangenheitsstuhl das Thema: *Wo, wie lange und wie habe ich bis jetzt Deutsch gelernt?* abdecken, während der Zukunftsstuhl auf die Lernerwartungen und -ziele Bezug nehmen wird. Damit verschaffen Sie sich als Lehrer gleichzeitig einen Überblick über Voraussetzungen und Motivation Ihrer Lernergruppe.

41 Stoßseufzer

GRAMMATIK:	Konjunktiv II
NIVEAU:	★ ★ ★ bis ★ ★ ★ ★
DAUER:	30–40 Min.
MATERIAL:	Ein Hammer oder Stock

VERLAUF:

1. Holen Sie einen Lerner als Sekretär an die Tafel. Bitten Sie die übrigen, sich über ihre Verwandten zu beklagen und dabei die Konstruktion *Wenn ... doch* (+ Konjunktiv II) zu verwenden, z. B.:

> Wenn mein Sohn doch nur seine Hausaufgaben machen würde!
>
> Wenn meine Mutter doch endlich aufhören würde, mir gute Ratschläge zu erteilen!
>
> Wenn mein Mann doch endlich Arbeit hätte!
>
> Wenn mein Bruder doch nicht so aggressiv wäre!

Der „Sekretär" schreibt alle Sätze, die geäußert werden, an die Tafel. Fahren Sie fort, bis etwa 10–20 Stoßseufzer über die Verwandten aufgelistet sind.

2. Bilden Sie Zweiergruppen und teilen Sie jedem Paar die Summe von 1500 Euro zu. Erklären Sie, dass die Lerner nun zu einer Versteigerung gehen, auf der sie sich von ihren Seufzern befreien können, indem sie dafür bezahlen. Die Lerner in den Zweiergruppen sind aufgefordert, zusammenzuarbeiten und gemeinsam zu entscheiden, welcher Stoßseufzer über die Verwandten sie sich entledigen wollen, indem sie Geld dafür ausgeben. Danach müssen sie ein Budget erstellen und festlegen, wie viel sie für jeden Ausruf zu bezahlen bereit sind.

3. Wenn die Partner genügend Zeit zur Verfügung hatten, um ihr Budget zu erstellen, beginnen Sie mit der Versteigerung. Versuchen Sie, die Aktivität in der Atmosphäre einer wirklichen Versteigerung durchzuführen. Legen Sie Ihre Rolle als Kursleiter ab, und werden Sie ein echter Auktionator:

Meine Damen und Herren, willkommen zu unserer Versteigerung! Für nur wenig Geld können Sie alle Ihre Familienprobleme loswerden. Wie viel bieten Sie für den ersten Stoßseufzer? 100 Euro die Dame in der dritten Reihe? Gut, also 100 Euro zum Ersten, 100 Euro, wer bietet mehr? etc.

Akzeptieren Sie keine Gebote unter 50 Euro. Bemühen Sie sich um einen zügigen Ablauf. Bieten Sie die Stoßseufzer nicht der Reihe nach an. Achten Sie darauf, dass niemand mehr als die zugeteilten 1500 Euro ausgibt. Setzen Sie die Versteigerung nicht weiter fort, wenn Sie merken, dass das Interesse der Lerner nachzulassen beginnt.

Idee: Maury Smith, Denny Packard

42 Unvergleichlich

GRAMMATIK:	Vergleiche
NIVEAU:	★★
DAUER:	15–20 Min.
MATERIAL:	Keines

VERLAUF:

1. Erzählen Sie den Lernern etwas über sich, wobei Sie sich mit anderen Personen aus dem Kreis Ihrer Verwandten und Bekannten vergleichen:

Ich bin _____ als mein Mann.

Ich bin nicht so _____ wie mein Sohn.

Ich bin so _____ wie meine Freundin.

Meine Schwester ist _____ als ich.

Schreiben Sie sechs oder sieben Sätze dieser Art als Mustersätze für die Struktur, die im folgenden geübt werden soll, an die Tafel.

2. Bilden Sie Dreiergruppen. Zwei Lerner in jeder Gruppe müssen genau zuhören, während der dritte sich nach dem angegebenen Muster mit anderen Personen vergleicht. Derjenige, der gerade das Wort hat, muss 90 Sekunden lang ohne Unterbrechung sprechen; stoppen Sie die Zeit.

3. Die beiden Zuhörer in jeder Gruppe sind aufgefordert, dem dritten Lerner anschließend so genau wie möglich wieder zu erzählen, was sie von ihm gehört haben, dies aber in einer bestimmten Reihenfolge: Sie müssen mit den Vergleichen beginnen, die für den Lerner positiv ausfallen *(Ich bin sportlicher als mein Bruder Wolfgang.)*, und mit den negativen enden *(Ich bin nicht so musikalisch wie meine Freundin Lisa.)*.

4. Wiederholen Sie die Schritte 2 und 3 dieser Aktivität, so dass jeder in der Gruppe einmal an die Reihe kommt, ein vergleichendes Selbstporträt zu zeichnen.

43 Meine Rollen

GRAMMATIK:	Präsens, Adverbien
NIVEAU:	★ bis ★★★
DAUER:	30–45 Min.
MATERIAL:	Keines

VERLAUF:

1. Schreiben Sie 10 Rollen an die Tafel, die Sie alle in Ihrem Alltag einnehmen, z. B.:

Kollegin	Schwester	Freundin

Bitten Sie die Lerner, das Gleiche zu tun. Fügen Sie dann die Namen der Personen hinzu, die Sie in diese Rolle gebracht haben, z. B.:

Ich bin		
die Kollegin	die Schwester	die Freundin
von	von	von
Christine	Hans	Peter

Bitten Sie die Lerner, ebenso zu verfahren.

2. Zeichnen Sie eine Uhr an die Tafel, die anzeigt, wie spät es gerade ist.

3. Schreiben Sie dann folgende Beispielsätze an die Tafel:

Jetzt ist _____ wahrscheinlich ...
Jetzt dürfte _____ gerade ...

Bitten Sie die Lerner, einen wirklich zutreffenden Satz aufzuschreiben, der sich auf die Person bezieht, zu der sie sich in der zuvor genannten Beziehung befinden, z. B.:

Jetzt ist mein Bruder wahrscheinlich beim Fußballtraining.
Jetzt dürfte mein Freund gerade in Paris angekommen sein.

4. Bilden Sie Zweiergruppen und bitten Sie die Lerner, etwas über die Person, zu der sie in der zuvor genannten Beziehung stehen, zu erzählen. Danach sollen sie die Sätze, die sie über diese Person formuliert haben, vorlesen und eventuell nötige Hintergrundinformationen liefern.

Hinweis: Wenn Sie die Übung mit Ihrer Gruppe von beispielsweise 20 Lernern beginnen, werden Sie sie mit 60 „nicht anwesenden Personen" beenden, und alle sind von einer Lebendigkeit, wie sie Personen aus einem Lehrbuch niemals besitzen werden. Diese Art von Übung ist daher besonders sinnvoll für kleine Gruppen oder im Einzelunterricht, d.h. immer dann, wenn Sie den Unterrichtsraum mit „mehr Menschen" beleben wollen.

44 Was bin ich für wen?

GRAMMATIK:	Possessivbegleiter
NIVEAU:	★
DAUER:	15–20 Min.
MATERIAL:	Keines

VERLAUF:

1. Wiederholen Sie mit den Lernern die folgenden Begriffe, soweit sie sie schon kennen, und führen Sie die übrigen ein:

> Mann – Frau – Schwiegervater – Schwiegermutter – Vetter – Cousine – Schwager – Schwägerin – Taufpate – Taufpatin – Zwillingsbruder – Zwillingsschwester – Vater – Mutter – Sohn – Tochter – Onkel – Tante – Bruder – Schwester – Neffe –Nichte – Enkel – Enkelin – Freund – Freundin – Ex-Freund – Ex-Freundin – Kollege – Klassenkamerad – Teilhaber – Lehrer – Chef – Feind

2. Sprechen Sie mit den Lernern über Personen, die Ihnen persönlich nahe stehen.

Bitten Sie einen Lerner, sich zusammen mit Ihnen vor der Gruppe hinzusetzen und den Zuhörer zu spielen. Sie sollten eine Minute lang sprechen (Stoppen Sie die Zeit!).

Sie können in folgender Weise beginnen (aber das ist nur ein Beispiel):

> Mein Vater heißt Wilfried. Der Name meiner Frau ist Sabine. Unsere Tochter heißt Laura und unserer Sohn Tobias. Stefan ist mein Bruder. Mein Freund und Kollege heißt Jürgen.

Wenn die Minute um ist, muss der Lerner, der zugehört hat, versuchen, das, was Sie gesagt haben, so genau wie möglich zu wiederholen; möglicherweise braucht er hier und da eine kleine Hilfe.

3. Bilden Sie anschließend Zweiergruppen, die die gleiche Übung durchführen. Weisen Sie besonders darauf hin, wie wichtig es ist, aufmerksam zuzuhören (ohne Notizen zu machen). Stoppen Sie die Zeit, während die Lerner sprechen. Jeder in der Zweiergruppe kommt einmal an die Reihe.

4. Beenden Sie das Spiel, indem Sie jede Zweiergruppe bitten, ein anderes Paar zu finden und gemeinsam ein Schaubild der Personen zu zeichnen, zu denen die jeweiligen Lerner in Beziehung stehen.

Laura
(seine Tochter)

Tobias
(sein Sohn)

Jürgen
(sein Freund)

(Name des Kursteilnehmers)

Stefan
(sein Bruder)

Wilfried
(sein Vater)

Sabine
(seine Frau)

IV. Grammatik mit Theatertechniken

45 Der Schrei aus dem Kreis

GRAMMATIK:	Präsens (3. Person Singular)
NIVEAU:	★
DAUER:	10 Min.
MATERIAL:	Keines

VERLAUF:

1. Fordern Sie die Klasse auf, einen Kreis zu bilden, und bitten Sie einen Lerner, sich in die Mitte zu stellen und den Tagesablauf einer Person zu erzählen, die er gut kennt, z. B.:

> Mein Vater steht um 7 Uhr auf ...

Jedes Mal, wenn er eine Verbform gebraucht, wiederholt sie der Kreis mit einem Schrei, z. B. STEHT AUF. Wenn der Lerner das Verb nicht richtig gebraucht, versucht der Kreis, die richtige Verbform zu finden und sie ebenfalls laut herauszuschreien.

Wenn der Lerner in der Mitte seine Erzählung beendet hat, bekommt er einen stürmischen Applaus – das erhöht den Energiespiegel und die Stimmung in der Klasse.

2. Bevor der Lerner die Kreismitte verlässt, benennt er eine andere Person, die seine Stelle einnehmen und ihrerseits einen Tagesablauf erzählen wird.

Hinweis: Diese Übung kann je nach Lernniveau der Klasse mit jeder beliebigen Struktur durchgeführt werden.

Beispielsweise kann der Lerner in der Mitte aufgefordert werden, sein Wohnzimmer zu beschreiben, während die Mitspieler im Kreis die Ortspräpositionen herausschreien. Oder aber Sie fordern den Protagonisten auf, sich mit einer anderen Person in der Gruppe zu vergleichen, wobei der Kreis alle Komparativformen wiederholt.

Anstatt zu schreien, können die Lerner auch angehalten werden, die entsprechenden Ausdrücke zu flüstern oder einen traurigen, nachdenklichen oder ekstatischen Tonfall zu benutzen.

Idee: Die Originalidee stammt von Mike Gradwell.

46 Komm zu mir!

GRAMMATIK:	Imperativ (formell oder informell, Modalverben)
NIVEAU:	★
DAUER:	25 Min.
MATERIAL:	Keines

VERLAUF:

1. Bitten Sie die Lerner, einen Stuhlkreis zu bilden, und setzen Sie sich selbst auch in den Kreis, wobei ein Stuhl neben Ihnen leer bleibt. Beginnen Sie das Spiel, indem Sie beispielsweise folgende Einladung aussprechen:

> Brigitte, setz dich zu mir, weil du auch schwarze Schuhe trägst.

oder:

> Frau Berger, setzen Sie sich neben mich, ich möchte Ihnen ein Geheimnis verraten.

Die Lernerin geht nun durch den Kreis und setzt sich neben Sie, wobei ihr alter Platz frei wird. Nun lädt einer der Lerner, der neben dem leer gewordenen Stuhl sitzt, eine andere Person aus dem Kreis ein, sich neben ihn zu setzen oder einer anderen Aufforderung nachzukommen und anschließend neben ihm Platz zu nehmen, z. B.:

> Steh auf und komm her, ich möchte ...
> Stehen Sie auf und kommen Sie her, ich möchte ...
>
> Geh zu ... und setz dich danach zu mir, ...
> Gehen Sie zu ... und setzen Sie sich danach zu mir, ...

Achten Sie jedoch darauf, dass die Lerner immer eine Begründung für ihre Anweisung geben.

2. Sie können das Spiel an einem gewissen Punkt abbrechen und an den Strukturen weiterarbeiten, sofern sie den Lernern Schwierigkeiten bereiten. Sie können aber auch die Spielregel verändern und zu einem Lerner, der neben dem leeren Stuhl sitzt, sagen:

> Ich möchte mich neben dich setzen, weil ...

VARIANTE:

Wenn Sie den Gebrauch der Modalverben üben wollen, können Sie dieses Gruppenspiel mit einem der folgenden Modellsätze einleiten:

> Peter, du kannst dich zu mir setzen, weil ...

oder:

> Herr Weber, Sie müssen zu mir kommen, denn ...

47 Auf dem Rücken schreiben

GRAMMATIK:	Pluralformen der Substantive
NIVEAU:	★
DAUER:	10 Min.
MATERIAL:	Kärtchen mit Substantiven im Singular

VERLAUF:

1. Bitten Sie die Lerner aufzustehen und sich einen Partner oder eine Partnerin zu suchen. Zur Einstimmung auf die Übung und um eine gewisse Vertrautheit zwischen den Partnern herzustellen, laden Sie die Lerner ein, sich vorzustellen, der Rücken des Partners sei eine weiße Tafel, die jemand mit nicht abwaschbarer Tinte beschrieben hat, und es gehe nun darum, die Schrift abzureiben: A reibt also am Rücken von B und umgekehrt.

2. Danach schreibt A Singularformen auf den Rücken von B, und B schreibt die entsprechenden Pluralformen auf den Rücken von A, z. B.:
A schreibt: LAND und
B schreibt: LÄNDER
Anschließend schreibt B: KINO
und A schreibt: KINOS.

Fordern Sie die Lerner auf, langsam und in Großbuchstaben (mit den Fingern) zu schreiben.

3. Verteilen Sie nun Kärtchen mit Singularformen, die Sie aus der Kopiervorlage 30 anfertigen können. Auf diese Weise bringen Sie die Lerner auf neue Wörter, die ihnen spontan eventuell nicht einfallen.

4. Zum Abschluss der Aktivität bitten Sie einen Lerner oder eine Lernerin, an die Tafel zu kommen und – mit Hilfe der anderen – alle Singular- und Pluralformen aufzuschreiben, die im Laufe der Übung benutzt wurden.

VARIANTE:

Dieser Übungstyp eignet sich für die Wiederholung jeder Art von Sprachmaterial (Wortschatz und Strukturen), das Gegensatzpaare aufweist, z. B.:
Ländernamen – Sprachen
Infinitiv – Partizip

Idee: Diese Technik wurde durch die Seminare von Eve Ogonowski bekannt.

KV

Nr. 30:
Auf dem Rücken schreiben – Unregelmäßige Pluralformen
(einzelne Kärtchen verteilen)

Hotel	Briefkasten	Stadt
Kilometer	Fenster	Bild
Apotheke	Haus	Brücke
Platz	Restaurant	Geschäft
Buch	Tisch	Beruf
Zettel	Garten	Lehrerin
Regel	Glas	Stunde

48 Wer ist's?

GRAMMATIK:	Fragen stellen, Perfekt
NIVEAU:	★ bis ★★★
DAUER:	15 Min.
MATERIAL:	Keines
HINWEIS:	Bei dieser Übung ist es erforderlich, dass sich die Lerner bereits etwas näher kennen.

VERLAUF:

1. Bitten Sie einen Lerner oder eine Lernerin, den Unterrichtsraum zu verlassen.

2. Die Gruppe wählt in seiner/ihrer Abwesenheit unter sich eine Person aus, um die es gehen soll.

3. Der Lerner oder die Lernerin kommt in den Unterrichtsraum zurück und stellt Fragen zur Biografie der Person, um herauszufinden, um wen es sich handelt. Die Gruppe darf nur mit JA oder NEIN antworten.

Die Fragen können beispielsweise so lauten:

> Ist die Person schon einmal in Berlin gewesen? Hat sie letztes Jahr einen Deutschkurs besucht?

VARIANTE:

Diese Aktivität kann auch auf das Einüben anderer Verbformen (Futur, Konjunktiv II etc.) übertragen werden, z. B.:

> Wird diese Person im Sommer nach Italien fahren? Würde sie gerne in Deutschland leben?

49 Tierische Gewohnheiten

GRAMMATIK:	Verbformen im Präsens
NIVEAU:	★ ★
DAUER:	30–40 Min.
MATERIAL:	Ein Fragebogen zum Ergänzen

VERLAUF:

1. Bitten Sie einen Lerner, die Rolle des Sekretärs zu übernehmen und alle Tiernamen an die Tafel zu schreiben, die ihm von der Lernergruppe genannt werden. Die Namen sollen ungeordnet über die ganze Tafel verteilt werden.

2. Fordern Sie nun die Lerner auf, sich mit einem Tier – Säugetier, Vogel oder Fisch – zu identifizieren, jedoch Hunde, Katzen und andere Haustiere auszuschließen. Bitten Sie nun die Lerner, „ihr" Tier zu zeichnen. Anschließend zeigen die Lerner ihre Zeichnungen der Klasse und imitieren den entsprechenden Tierlaut.

3. Verteilen Sie nun die Fragebögen – Kopiervorlage 31 – an die Lerner, die diese in Einzelarbeit ausfüllen, wobei sie sich mit dem von ihnen gewählten Tier identifizieren. Die Formulierungen sind daher in Ich-Form angelegt.

4. Bitten Sie dann die Lerner, sich einen idealen Partner zu suchen und ihm den ausgefüllten Fragebogen vorzulesen. Aber Achtung: Für ein Schaf könnte es gefährlich sein, sich den Wolf als Partner zu wählen!

5. Fordern Sie dann die Lerner auf, sich den gefährlichsten Partner zu suchen und sich ebenfalls die Fragebögen vorzulesen.

Ich fresse meistens _____

Nachts _____

Ich habe Angst vor _____

Ich bewege mich normalerweise _____

Wenn ich Gesellschaft suche, _____

Ich fresse kein(e) _____

_____ haben Angst vor mir.

Tagsüber _____

Ich lebe in _____

Meine Mutter hat mir gezeigt, wie _____

Meine Jungen leben in / unter / auf _____

Ziel meines Lebens ist es _____

Das ist mein Porträt

50 Die genaue Uhrzeit

GRAMMATIK:	Redemittel zur Angabe der Uhrzeit
NIVEAU:	★
DAUER:	20–30 Min.
MATERIAL:	12 Stühle

VERLAUF:

1. Stellen Sie 12 Stühle im Kreis so auf, dass jeweils etwas Abstand zwischen den einzelnen Stühlen bleibt. Auf die Lehne eines Stuhls hängen Sie eine Jacke, um die Nummer 12 des Ziffernblatts anzugeben.

2. Die Lerner stellen sich außerhalb des Kreises auf. Bitten Sie dann zwei Freiwillige, in den Kreis hineinzugehen.

3. Vergleichen Sie die Größe der beiden Personen und teilen Sie dann der größeren die Rolle des „Minutenzeigers" und der kleineren die des „Stundenzeigers" zu.

4. Die beiden setzen sich sodann auf zwei Stühle und fragen: *Wie spät ist es?* Die außerhalb des Stuhlkreises stehenden Lerner antworten.

   Wechseln Sie von Zeit zu Zeit die „Zeiger" aus und fahren Sie mit der Übung so lange fort, bis Sie mit den Antworten der Lerner zufrieden sind.

5. Wählen Sie einen Lerner oder eine Lernerin aus, der oder die etwas kleiner ist als Sie, und treten Sie mit ihm oder ihr in den Stuhlkreis. Bitten Sie ihn oder sie, sich auf einen beliebigen Stuhl zu setzen, während Sie selber sich beispielsweise an

den äußersten rechten* Rand des Stuhls setzen, der die Nummer 2 symbolisiert. Wenn die Lernergruppe daraufhin beispielsweise sagt: *Es ist 8 oder 9 Minuten nach drei*, so akzeptieren Sie vorläufig diese Antwort, wenn sie auch nicht genau dem entspricht, was Sie erwartet haben. Wenn keiner der Lerner die gewünschte Antwort findet, springen Sie ein und sagen: *Es ist knapp zehn nach drei*.

Fahren Sie so lange fort, bis den Lernern die Struktur geläufig ist.

Hinweis: Diese Übung stellt eine Mischung aus „realer Sprache" und Bewegungstechniken dar, die gerne als langweilig und kindlich eingestuft werden. Die Erfahrung zeigt jedoch, dass die Lerner es durchaus schätzen, sich zwischendurch einmal die Füße vertreten zu dürfen, und dass sie es als originell empfinden, auf diese spielerische Weise Strukturen wie *...knapp* und *kurz nach ...* nahegebracht zu bekommen.

FORTSETZUNG:

Schreiben Sie eine Uhrzeit an die Tafel. Setzen Sie sich auf den 11 Uhr-Stuhl und sagen Sie: *Zeit ins Bett zu gehen*. Fordern Sie die Lerner auf, sich auf die entsprechenden Stühle zu setzen, um die Zeiten darzustellen, die in ihrem Tagesablauf von Bedeutung sind, z. B.: *Zeit des Abendessens, des Mittagessens, der Kaffeepause; Öffnungszeit, Ladenschlusszeit, Beginn und Ende des Unterrichts, etc.*

---

* Die Position bezieht sich jeweils auf die Perspektive des auf dem Stuhl Sitzenden.

51 Wir sind ein Zimmer

GRAMMATIK:	Passivkonstruktion, Ortspräpositionen
NIVEAU:	★ ★
DAUER:	30–40 Min.
MATERIAL:	Kärtchen

Die für dieses Spiel vorgesehenen Kärtchen sind für 14 Spieler angelegt (Kopiervorlagen 32 und 33). Wenn Sie Klassen mit mehr oder weniger Lernern haben, müssen Sie Kärtchen hinzufügen oder wegnehmen. Letzteres sollten Sie allerdings möglichst vermeiden, da dadurch gegebenenfalls die Querverweise zwischen den verbleibenden Kärtchen nicht mehr nachvollziehbar sein könnten.

VERLAUF:

1. Wenn die Kärtchen unbekanntes Vokabular enthalten, erläutern Sie dieses *vor* Beginn der Übung und in einem anderen Kontext.

2. Verteilen Sie dann je ein Kärtchen an die Lerner. Wenn Sie mehr als 14 Lerner in der Klasse haben, fertigen Sie eine entsprechende Anzahl von zusätzlichen Kärtchen an (z. B. *Fenster, Lampe, Fernseher, Bild*).

3. Teilen Sie den Lernern mit, dass sie die auf ihrem Kärtchen enthaltenen Informationen auswendig lernen sollen, und geben Sie ihnen dafür genügend Zeit. Überprüfen Sie dann, ob die Lerner die kleinen Texte wirklich frei sprechen können. Gehen Sie umher und lassen Sie sich die Informationen ohne Zuhilfenahme des Kärtchens zuflüstern.

4. Wenn die Kenntnis der Texte gewährleistet ist, sammeln Sie die Kärtchen ein. Geben Sie dann den Lernern folgenden Hinweis:

Bei diesem Spiel seid ihr 14 Möbelstücke oder Teile eines Zimmers. Ihr müsst die Informationen, die auf den Kärtchen stehen, austauschen und euch an den Platz stellen, der auf euren Kärtchen angegeben ist.

Bevor die Lerner mit der Suche nach ihrem Standort beginnen, zeichnen Sie die Umrisse des Raumes an die Tafel:

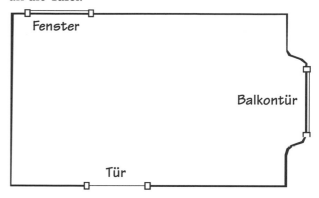

5. Die Lerner bewegen sich nun im Raum und tauschen Informationen aus. Achten Sie darauf, dass sie nur die Informationen benutzen, die ihnen durch die Kärtchen gegeben sind. Sie werden sich dann in der entsprechenden Weise im Raum verteilen. Um dem entstehenden Durcheinander Herr zu werden, werden sie viele Ortspräpositionen benutzen.

6. Wenn alle Spieler ihre Plätze eingenommen haben, bitten Sie jeden einzelnen, den Inhalt seines Kärtchens bekanntzugeben und mit seiner Position im Raum zu vergleichen.

Auf S. 94 finden Sie die vorgesehene Verteilung der Einrichtungsgegenstände.

Idee: Die Idee stammt von Lou Spaventa, der eine ähnliche Übung mit dem Titel *Cocktail Party* präsentierte.

Hier die vorgesehene Verteilung der Einrichtungsgegenstände:

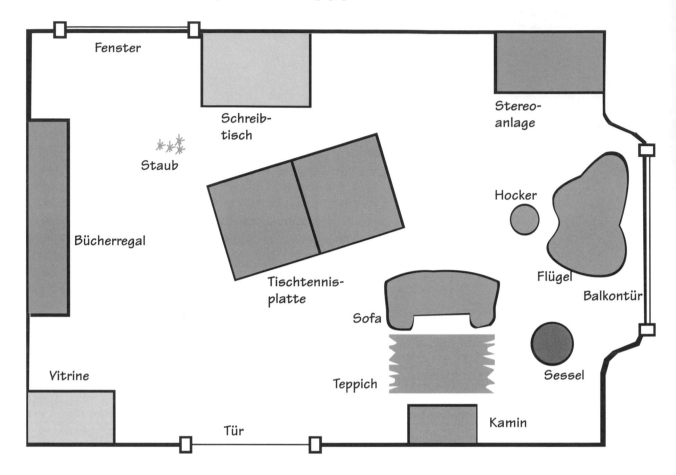

Ich bin ein eleganter Schreibtisch.
Zwischen mir und dem Bücherregal liegt ein Häufchen Staub.
Zwischen mir und dem Sofa steht eine hässliche Tischtennisplatte.

Ich bin ein Häufchen Staub.
Ich liege zwischen dem Schreibtisch und dem Bücherregal.
Vor drei Wochen hat man mich hier vergessen.
Ich bin sehr traurig.

Ich kann sehr leicht zusammengeklappt und weggeräumt werden.
Ich werde meistens von den Kindern benutzt.
Ich stehe in der Mitte des Raums.

Ich bin das Sofa.
Hinter mir steht die Tischtennisplatte.
Ich stehe gegenüber dem Kamin.

Ich liege auf dem Boden zwischen dem Sofa und dem Kamin.
Ich wurde vor 40 Jahren aus dem Iran mitgebracht.
Ich bin vor zwei Monaten zum letzten Mal geklopft worden.

Ich werde selten benutzt.
Ich stehe neben dem Perserteppich.
Ich bin ein Sessel, hinter mir ist die Balkontür.
Ich wurde von einer Tante vererbt, genauso wie das Sofa.

Ich bin der Kamin.
Ich wurde zur selben Zeit eingebaut wie die Balkontür, die rechts von mir ist.
Ich befinde mich genau gegenüber dem Sofa.
Die Tür ist links von mir.

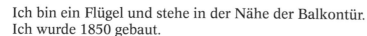
Ich bin ein Flügel und stehe in der Nähe der Balkontür.
Ich wurde 1850 gebaut.
Ich wurde vor 6 Monaten das letzte Mal gestimmt.
Mein moderner Hocker gefällt mir nicht.

Ich weiß, dass ich der Stereoanlage nicht gefalle.
Ich wurde der Familie von einem Freund geschenkt.
Ich bin aus Kiefernholz.

Ich liebe Schallplatten, ich verschlinge sie geradezu.
Ich stehe an der Wand, der Schreibtisch ist mein Nachbar.
Den Hocker aus Kiefernholz finde ich abscheulich!

Voriges Jahr wurde ich gestrichen.
Ich bin die große Balkontür am Ende des Zimmers.
An der gegenüberliegenden Wand steht ich ein großes Möbelstück, das aus Eichenholz zu sein scheint.

Ich wurde zur gleichen Zeit gebaut wie der Flügel.
Ich bin ein Bücherregal aus Eichenholz.
Mir gegenüber ist eine Balkontür – rechts von mir steht die Vitrine mit dem Porzellan.

Ich bin voll von Dingen aus Porzellan und Glas.
Ich stehe gegenüber dem Fenster.
Rechts von mir ist die Tür.

Ich bin aus Holz und aus Glas.
Links von mir steht die Vitrine mit dem Porzellan.
Mir gegenüber steht ein Schreibtisch.
Ich bin mit Scharnieren in der Wand befestigt.

V. Vermischtes

52 Spiel mit dem Wörterbuch

GRAMMATIK:	Komparativ, Zeit- bzw. Ortspräpositionen und -adverbien
NIVEAU:	★
DAUER:	45 Min.
MATERIAL:	Ein Wörterbuch (oder möglichst mehrere) pro Klasse

VORBEREITUNG:

Schreiben Sie bereits vor Unterrichtsbeginn folgendes an die Tafel:

> a b c d e f g h i j k l m n o p q r s t u v
> w x y z
>
> Das Wort hat mehr Buchstaben (als) ...
> Es hat weniger Buchstaben (als) ...
> Es hat dieselbe Anzahl von Buchstaben (wie) ...
> Es ist länger als ...
> Es ist kürzer als ...
> Es steht im Wörterbuch weiter vorn (davor).
> Es steht im Wörterbuch weiter hinten (dahinter).
> Der erste Buchstabe ist richtig.
> Die ersten zwei, drei, vier Buchstaben sind
> richtig.

Sie können aber auch diese Sätze am Anfang der Unterrichtsstunde diktieren, wenn Sie die Konzentration der Lerner durch Einzelarbeit fördern wollen.

VERLAUF:

1. Sagen Sie den Lernern, dass Sie nun den Unterrichtsraum für kurze Zeit verlassen werden und dass sie in der Zwischenzeit ein Wort auswählen sollen, das Sie dann erraten müssen.

2. Wenn Sie in den Unterrichtsraum zurückkommen, beginnen Sie zu raten, indem Sie ein Wort vorschlagen. Die Lerner werden Ihnen dann sagen, ob das Lösungswort länger, kürzer oder gleich lang ist und ob es im Wörterbuch vor oder nach dem von Ihnen vorgeschlagenen Wort steht. (Wenn Aussprachefehler auftreten, korrigieren Sie sie auf diskrete Weise.)

Hier ein Beispiel für einen möglichen Übungsverlauf:

Sie:	*Briefkasten*
Lerner:	*Es kommt danach.*
Sie:	*Telefonzelle*
Lerner:	*Es steht davor.*
Sie:	*Postamt*
Lerner:	*Es steht weiter hinten.*
Sie:	*Restaurant*
Lerner:	*Noch weiter hinten.*
Sie:	*Supermarkt*
Lerner:	*Es steht im Wörterbuch ein Bisschen weiter vorn. Der erste Buchstabe ist richtig.*
Sie:	*Sonne*
Lerner:	*Das Wort ist länger. Es steht etwas weiter hinten.*
Sie:	*Straßenbahn*
Lerner:	*Es kommt vorher. Es ist etwas kürzer. Die ersten beiden Buchstaben sind richtig.*
Sie:	*Stadtteil*
Lerner:	*Noch etwas davor. Die ersten fünf Buchstaben sind richtig und es ist genauso lang.*
Sie:	*Stadtplan*
Lerner:	*Ja, richtig!*

Im Laufe des Spiels können Sie Ihre Ratewörter sowie die Antworten der Lerner notieren. Zu Beginn wird es sicher nötig sein, die Lerner entsprechend zu animieren, indem Sie Fragen stellen wie z. B.:

> Ist es länger, kürzer oder hat es dieselbe
> Anzahl von Buchstaben wie mein Wort?
> Steht es im Wörterbuch weiter vorn oder
> weiter hinten?

Wenn die Lerner das Prinzip des Spiels verstanden haben, können Sie die Rollen tauschen: Sie denken sich ein Wort aus (vorzugsweise ein erst vor kurzem eingeführtes), und die Lerner müssen es erraten. Geben Sie reichliche Informationen über die Länge des Wortes, seine Stellung innerhalb des Alphabets und über einzelne Buchstaben, die es enthält. Die Übung wird den Lernern keine allzu großen Schwierigkeiten bereiten, wenn Sie ihnen empfehlen, sich gleichzeitig Notizen zu machen und das Wörterbuch zu benutzen.

Hinweis: Diese Übung ist eine gute Einführung in das überfliegende Lesen und in den Gebrauch des Wörterbuchs. Dass hier die Einführung oder Einübung bestimmter Strukturen innerhalb eines plausiblen Kontexts stattfindet, wird den Lernern kaum bewusst, da sie in dieser Aktivität eine einfache Wortschatzübung vermuten.

Es lohnt sich vielleicht, über die Mechanismen dieses Übungstyps nachzudenken. Wenn man nämlich entsprechende Strategien entwickelt, kann man mehr oder weniger jedes Wort in nicht mehr als acht Versuchen erraten. Vielleicht hat manche Lernergruppe Lust, über ihre „Tricks" zu diskutieren oder sich auch schriftlich darüber zu äußern, wie man möglichst schnell das richtige Wort errät.

53 Augen auf dem Rücken

GRAMMATIK:	Modalverben, Bedingungssätze, Konjunktiv II
NIVEAU:	★ ★ bis ★ ★ ★
DAUER:	30–45 Min.
MATERIAL:	Keines

VERLAUF:

1. Bitten Sie einen Lerner, eine Person im Profil (bis zur Taille) an die Tafel zu zeichnen und die Augen besonders deutlich zu kennzeichnen. Sagen Sie ihm nun, er möge zusätzliche Augen auf den Rücken zeichnen.

2. Schreiben Sie dann folgendes Satzbaumodell an die Tafel:

> Wenn die Menschen Augen auf dem Rücken hätten ...
> könnten sie ... (+ Infinitiv)
> müssten sie ... (+Infinitiv)
> wären sie in der Lage ... zu (+ Infinitiv)

3. Bitten Sie nun die Lerner, dieses Satzbaumodell abzuschreiben und ihre Ideen zum Thema in zehn entsprechenden Sätzen zum Ausdruck zu bringen. Hier ein Beispiel:

> Wenn die Menschen Augen auf dem Rücken hätten, könnten sie zwei Bücher gleichzeitig lesen.

Ermutigen Sie die Lerner, das Wörterbuch zu benutzen. Gehen Sie umher und helfen und korrigieren Sie.

4. Wenn die Lerner bereits eine gewisse Anzahl von Sätzen gefunden haben (etwa 7), bitten Sie sie aufzustehen, umherzugehen und zu sehen, was die anderen geschrieben haben.

Hinweis: Die Lerner finden meist sehr originelle Sätze wie zum Beispiel folgende:

> ... brauchten sie keinen Rückspiegel.
> ... könnten sie sich die Haare selber schneiden.
> ... wären sie die besten Verkehrspolizisten.
> ... benötigten sie viel mehr Zeit, um sich zu schminken.
> ... wären sie in der Lage, jemand zu küssen und gleichzeitig die Zeitung zu lesen.

54 Sockentausch

GRAMMATIK:	*weil, denn, um ... zu*
NIVEAU:	★ ★
DAUER:	20 Min.
MATERIAL:	Keines

> Die Männer tauschten ihre Socken,
> weil ...
> denn ...
> um ... zu

VERLAUF:

1. Erzählen Sie Ihren Lernern, dass Sie letzthin mit dem Zug unterwegs waren und folgendes Erlebnis hatten:

Im Abteil saßen mir gegenüber zwei junge Männer. Einer von ihnen trug weiße, der andere schwarze Socken. Plötzlich zogen sie sich eine Socke aus und tauschten diese untereinander aus. Dann verließen sie den Zug, beide mit einer weißen und einer schwarzen Socke bekleidet.

2. Bitten Sie nun die Lerner, möglichst viele Gründe für dieses eigenartige Verhalten zu finden und Sätze nach folgendem Modell zu bilden:

3. Wenn die Mehrheit der Lerner etwa 8 bis 12 verschiedene Begründungen gefunden hat, bitten Sie sie, sich in Vierergruppen zusammenzufinden und zu entscheiden, welche die drei besten Vorschläge sind.

4. Fordern Sie dann die Gruppen auf, ihre besten Hypothesen an die Tafel zu schreiben.

VARIANTE:

Auf einem höheren Lernniveau können auch Satzkonstruktionen mit folgende Konjunktionen verwendet werden: *obwohl, damit, auf diese Weise, wegen* verwendet werden.

55 Buchstabenquadrat

GRAMMATIK:	Unregelmäßige Verben (Präsens, Präteritum, Perfekt)
NIVEAU:	★ ★ ★
DAUER:	10–20 Min.
MATERIAL:	Ein Buchstabenquadrat für je zwei Lerner

VERLAUF:

1. Geben Sie jeweils zwei Lernern eine Kopie des Buchstabenquadrats (Kopiervorlage 34). Sagen Sie der Gruppe, dass darin verschiedene unregelmäßige Verbformen versteckt sind – Infinitiv, Präsens (3. Pers. Sing.), Präteritum (3. Pers. Sing.) und Partizip Perfekt) – und dass es nun darum geht, möglichst viele Verben in möglichst kurzer Zeit zu entdecken. Weisen Sie die Lerner darauf hin, dass die Verbformen von links nach rechts, von rechts nach links, von oben nach unten, von unten nach oben oder diagonal geschrieben sein können und dass einzelne Buchstaben möglicherweise zu zwei Verben gehören (siehe angegebenes Beispiel).

Jedes gefundene Verb wird eingekreist, auf ein Extrablatt geschrieben und durch die anderen Verbformen ergänzt: Nehmen wir an, es wird die Verbform HILFT gefunden. In diesem Fall wird *helfen, half, geholfen* daneben geschrieben.

2. Nach etwa 5 Minuten fordern Sie die Lerner auf, sich einen anderen Partner zu suchen. Wiederholen Sie den Paarwechsel noch ein- bis zweimal. Achten Sie darauf, dass die Lerner auch die je-

weils anderen drei Verbformen aufschreiben. Gehen Sie umher und lassen Sie sich laut vorlesen, was die Lerner notiert haben. Beeilen Sie sich dabei, damit Sie alle Lerner erreichen können. Ihr zügiges Vorgehen wird das Arbeitstempo der Klasse erhöhen und die Verbsuche intensivieren.

VARIANTE:

Mit diesem Übungstyp lassen sich auch andere Strukturen üben, deren verschiedene Formen auswendig gelernt werden müssen, z. B. unregelmäßige Komparative und Superlative.

Buchstabenquadrat – *Lösung*:

101

```
A C O L T M I S A S D F J K L Ö A B O D O R E M I S
M H I L F T E D M E L T B E G O N N E N O R T I S A
D A M E E L S N L R U G E N E R E W I N E K A M A F
N E L R U E C A H U G E S C H L O S S E N I R G N O
E L S L R I E F S S E L A E M P S B T D S E I M M C
N G N E D H E N I C A N D L P C D I L F I B N R A A
T B E S L E W E S H R S U G E H C R T S Ä U T I K T
N E S F G U Ö S E N J C E E P O E H G N E R T N E I
I C D U R F T E I E A R N L D N C B I T G N I R B D
T H N H T C Ä N K I N H P E L A F S C R E R Z G I O
E T N R I H C C A D L E K S D M J S H Ä A T I L N R
S C H P A T K T S E K I N E W X K E N G C Y A E R S
R V I Ü B O E S T N S O G N E U R U F T H U M N L P
S G E H E N N I E E R A K R Ä D L E N T F N E Ü I R
C W F R F A H R L Z Ü N E F D R I R I E T H M T E N
H A Z B L R E S D N O T W O E R K B N S E M E C I M
T S N G N I U O A S P R A C H E Ö S E T T M M I N C
W I E R R L E N F T O B S E M K R L S E I Z R H E H
S C H F L E S R T A C E C L N U B T G R M E S N B I
E C Ö R B T U E E N K Z H E N N S E A I T O S T E A
R K D E L N L L O N T W E C H S E C T I N H T S I N
K N E R U N P P E D U N N E I A N N A N N F A S L V
S D G E G E S S E N S I K G E H E R G S V S I L B O
N O U B R K E N E O R D R T N S C D H A N O H Z E L
B S G D R E U R E V W E M B A N E F A L H C S E G E
Z U B E A A S T D E V O S C H N U F Y N U R E D C I
```

56 Schlüsselverben

GRAMMATIK:	Präteritum
NIVEAU:	★ ★ ★
DAUER:	30–40 Min.
MATERIAL:	Keines

VERLAUF:

1. Schreiben Sie folgende Wörter an die Tafel oder diktieren Sie sie:

war	öffnete	schnarchte
hieß	verschlang	hörten
trug	legte sich	kamen
sagte	kam	schnitten auf
ging	klopfte	sprangen
traf	trat ein	füllten
fragte	fragte	nähten zu
antwortete	sprang	warfen
pflückte	fraß	ertrank
lief	schlief	

2. Vergewissern Sie sich, dass die Lerner alle Verben verstehen. Wenn nicht, erklären Sie sie.

3. Bilden Sie Zweiergruppen und sagen Sie den Lernern, dass die eben besprochenen Verbformen einem sehr bekannten Märchen entnommen sind.

Jedes Paar entscheidet nun, um welche Geschichte es sich handelt, und die beiden Partner versuchen, sich das Märchen – unter Zuhilfenahme der Verben – gegenseitig zu erzählen.

Wahrscheinlich werden sich nicht alle für das Märchen entscheiden, dem die Verben entnommen sind – nämlich Rotkäppchen –, und das ist gut so. Gehen Sie umher und helfen Sie, wo es nötig ist.

4. Nach einer gewissen Zeit entfernen Sie die Verben von der Tafel, oder Sie bitten die Lerner, ihre Verbliste (sofern sie eine solche haben) bei Seite zu legen. Ohne die strikten Vorgaben wird der Erzählduktus nämlich flüssiger, und es schadet auch nicht, wenn das eine oder andere Verb fehlt.

5. Bitten Sie die Lerner, immer wieder ihren Partner zu wechseln und jedem neuen Partner das Märchen in der Fassung zu erzählen, die sie zusammen mit dem vorigen Partner erstellt haben.

Hinweis: Für diesen Übungstyp empfiehlt es sich, sehr bekannte Märchen oder Geschichten auszuwählen.

Idee: Diese Übungstechnik wurde von Christine Frank entwickelt, die Grundidee stammt von Pat McEldowney.

57 Schuld und Sühne

GRAMMATIK: Präsensformen, Fragen stellen
NIVEAU: ★ bis ★★
DAUER: 45–60 Min.
MATERIAL: Keines

VERLAUF:

1. Diktieren Sie folgenden Text und anschließend die drei Schlüsselwörter.

„Kommunikation"

Drei Personen sitzen in einem Raum, zwei Männer und eine Frau. Plötzlich sagt einer der Männer etwas. Einen Moment lang ist es still. Dann sagt der andere Mann etwas ... Daraufhin steht die Frau auf und gibt dem ersten Mann eine Ohrfeige.

Sofa	*Politik*	*Sprache*

2. Es geht darum herauszufinden, warum die Frau auf diese Weise reagiert. Fordern Sie die Lerner auf, Ihnen nun mit Hilfe der Schlüsselwörter Fragen zu stellen, um die Hintergründe der Geschichte zu ermitteln. Auf die Fragen der Lerner dürfen Sie aber nur mit JA oder NEIN antworten.

Lösung:

Die drei Personen befinden sich in einem Ministerium. Der zweite Mann ist Dolmetscher.

---

3. Diese Aktivität kann dahingehend erweitert werden, dass die Lerner über eigene Erfahrungen mit Kommunikationsproblemen berichten oder sich schriftlich dazu äußern.

58 Unkraut jäten

GRAMMATIK:	Verschiedene Strukturen
NIVEAU:	★ ★
DAUER:	15–20 Min.
MATERIAL:	Ein Text zum „Jäten"

VERLAUF:

1. Verteilen Sie an jeweils zwei Lerner einen Text, in den Sie zusätzliche Wörter gestreut haben, oder verteilen Sie Kopien der Textvorlage 35. In letzterem Fall sagen Sie den Lernern, dass in diesem Text 13 Wörter enthalten sind, die es wie Unkraut zu entfernen gilt, um den Originaltext wieder herzustellen.

2. Fordern Sie die Lerner auf, ihre Ergebnisse in Sechsergruppen zu vergleichen.

3. Abschließend diktieren Sie die eingestreuten Wörter.

Hinweis: Beim Entfernen des Unkrauts in einem verwilderten Garten kann man seine Fähigkeit testen, die echten Pflanzen zu erkennen. In ähnlicher Weise können die Lerner mit dieser Übung ihre Sprachkenntnisse hinsichtlich Wortfolge, Morphologie und Syntax überprüfen, indem sie die „Eindringlinge" entfernen.

Idee: Jim Brims

Liste der eingestreuten Wörter:

viele – Personen – und – oder – heute – in – oft – Wohnungen – große – einige – interessant – Jahre – mehr

Text mit Erweiterungen:

Von der Großfamilie zur Kleinfamilie

*Die Zahlen zeigen: Immer **viele** mehr Menschen leben allein. Im Jahr 1900 waren es **Personen** sieben Prozent, heute sind es fünfmal **und** so viele. Das sind hauptsächlich **oder** alte Menschen und Singles. Aber auch **heute** viele berufstätige junge Menschen wollen nicht mehr **in** bei den Eltern wohnen. Die Zwei-Personen-Haushalte **oft** liegen heute bei 30 Prozent. Das sind **Wohnungen** doppelt so viele wie früher. Die Zahl der Haushalte mit drei **große** Personen ist mit 17 Prozent konstant geblieben. Es gibt heute nur **einige** noch dreizehn Prozent Vier-Personen-Haushalte, vier Prozent weniger **interessant** als früher. Fünf Familienmitglieder und mehr haben heute nur noch fünf **Jahre** Prozent der Haushalte. Im Jahr 1900 waren es fast **mehr** neunmal so viele.*

Bearbeitet nach Orginaltext aus: *Stufen International I*, Deutsch als Fremdsprache für Jugendliche und Erwachsene, Lektion 10 (Klett Edition Deutsch 1995)

VON DER GROSSFAMILIE ZU KLEINFAMILIE

Die Zahlen zeigen: Immer viele mehr Menschen leben allein. Im Jahr 1900 waren es Personen sieben Prozent, heute sind es fünfmal und so viele. Das sind hauptsächlich oder alte Menschen und Singles. Aber auch heute viele berufstätige junge Menschen wollen nicht mehr in bei den Eltern wohnen. Die Zwei-Personen-Haushalte oft liegen heute bei 30 Prozent. Das sind Wohnungen doppelt so viele wie früher. Die Zahl der Haushalte mit drei große Personen ist mit 17 Prozent konstant geblieben. Es gibt heute nur einige noch dreizehn Prozent Vier-Personen-Haushalte, vier Prozent weniger interessant als früher. Fünf Familienmitglieder und mehr haben heute nur noch fünf Jahre Prozent der Haushalte. Im Jahr 1900 waren es fast mehr neunmal so viele.

59 Aus dem Gedächtnis lesen

GRAMMATIK:	Präsens
NIVEAU:	★ ★ ★
DAUER:	15 Min.
MATERIAL:	Keines

VERLAUF:

1. Schreiben Sie den ersten Teil des Gedichts von Rainer Maria Rilke an die Tafel:

Advent

*Es treibt der Wind im Winterwalde
die Flockenherde wie ein Hirt,
und manche Tanne ahnt, wie balde
sie fromm und lichterheilig wird,
und lauscht hinaus.
...*

---

2. Lesen Sie das Gedicht vor und erklären Sie die unbekannte Lexik.

3. Wischen Sie zwei Wörter aus einer der fünf Zeilen aus, und bitten Sie einen Lerner, das Gedicht so vorzulesen, als ob die beiden Wörter noch vorhanden wären.

Wischen Sie zwei weitere Wörter aus und fahren Sie in gleicher Weise fort; jedesmal wenn wieder zwei Wörter verschwunden sind, liest ein anderer Lerner die kompletten fünf Zeilen vor. Mit der Zeit „lesen" die Lerner immer mehr Wörter, die gar nicht mehr an der Tafel stehen, und behalten so das Gedicht und die darin enthaltenen Strukturen im Gedächtnis.

Wenn die Lerner ein Wort vergessen, zeigen Sie auf genau die Stelle, an der es zuvor gestanden hat – diese räumliche Gedächtnisstütze führt oft dazu, dass ihnen das Wort wieder einfällt.

Am Ende der Übung sollten die Lerner in der Lage sein, die kompletten fünf Zeilen von der vollständig leeren Tafel „abzulesen".

4. Schreiben Sie den Rest des Gedichts *unter* den leeren Raum, wo zuvor die ausgewischten Verse standen, und lassen Sie das ganze Gedicht „vorlesen":

---

*...
Den weißen Wegen
streckt sie die Zweige hin - bereit,
und wehrt dem Wind und wächst entgegen
der einen Nacht der Herrlichkeit.*

Rainer Maria Rilke, Erste Gedichte

Hinweis: Diese Übung lässt sich mit jedem Text, der sich zum Auswendiglernen eignet, durchführen.

Idee: Dorothy Brown

60 Rätselhafte Geschichten

GRAMMATIK:	Verschiedene Strukturen
NIVEAU:	★ ★ bis ★ ★ ★
DAUER:	15–30 Min.
MATERIAL:	Ein in zehn Streifen geschnittener Text

VERLAUF:

1. Die Lerner bilden in Zehnergruppen jeweils einen Stuhlkreis.

2. Geben Sie ein Set der in Streifen geschnittenen Geschichte (Kopiervorlage 36 oder 37) an jede Gruppe. (Achten Sie darauf, dass die Streifen gut durchmischt sind.) Jeder Lerner nimmt sich einen Streifen, liest leise seinen kleinen Text für sich durch und bittet Sie um Hilfe, wenn einzelne Wortschatzprobleme auftauchen sollten.

3. Nun erklären Sie, worum es bei diesem Spiel geht und welche Regeln zu beachten sind:
   Ziel des Spiels ist es erstens, die Streifen in die richtige Reihenfolge zu bringen, so dass eine Geschichte entsteht, und zweitens, die Frage zu beantworten, die die Geschichte enthält.

Spielregeln:
Regel 1: Lesen Sie nur Ihren eigenen Papierstreifen.
Regel 2: Schreiben Sie nichts auf.
Regel 3: Wenn Sie Fragen haben, wenden Sie sich ausschließlich an den Lehrer.

Wenn für eine Gruppe größere Klarheit nötig ist, fordern Sie sie auf, den Inhalt der Papierstreifen laut in der Runde vorzulesen. Überlassen Sie es aber der Gruppe, eine Strategie zu entwickeln, um an die Aufgabe heranzugehen. Greifen Sie nicht ein und geben Sie keine Ratschläge, Sie könnten damit die Gruppendynamik behindern. Achten Sie nur darauf, dass die Spielregeln eingehalten werden.

4. Die Zehnergruppen ordnen nun die Papierstreifen und versuchen, die Schlüsselfrage zu beantworten. Während dieser Zeit beobachten Sie die Lerner im Hinblick auf ihre sprachlichen Aktivitäten und auf die Gruppendynamik.

5. Sobald die Gruppe die Frage beantwortet hat, geben Sie jedem Lerner den kompletten Text.

VARIANTE:

Wie beim Management-Training können innerhalb der Zehnergruppe zwei Personen als Beobachter fungieren. Sie machen sich genaue Notizen darüber, wie die Gruppendynamik funktioniert, wer wann die Führungsrolle übernimmt etc. Nach Abschluss der Problemlösungsphase berichten sie der Gruppe oder dem Plenum, was sie wahrgenommen haben.

Lösung Textbeispiel A:

> *Lieber Andreas,*
> *Jetzt weiß ich, dass du die andere liebst und nicht mich. Dies ist das letzte Mal, dass du etwas von mir hörst.*
> *Helga*

Lösung Textbeispiel B:

> *Die Bedienung hat am ersten Tag zwei Euro zu wenig eingenommen und am zweiten Tag zwei Euro zu viel. Sie hat also weder Gewinn noch Verlust gemacht und muss nichts draufzahlen.*

Der Brief

In einem fernen Land herrschte unter den Bewohnern ein alter Aberglaube: wenn man einen Brief bekommt und ihn nicht sofort öffnet, verschlechtert sich sein Inhalt. Wenn z.B. ein Beschwerdebrief verspätet ankommt oder nicht sofort geöffnet wird, verwandelt er sich in einen Drohbrief. Oder wenn man einen Brief mit einer Rechnung nicht sofort öffnet, steigt der Rechnungsbetrag immer mehr an.

Maria ist in einem Café, als sie plötzlich ihren Ex-Mann, von dem sie seit kurzer Zeit geschieden ist, in Begleitung seiner neuen Freundin Helga an einem der Tische sitzen sieht. Sie scheinen sehr glücklich zu sein. Maria geht nach Hause und schreibt folgenden Brief:

Lieber Andreas,
jetzt weiß ich, dass du die andere liebst und nicht mich. Dies ist das letzte Mal, dass du etwas von mir hörst. Maria

Der Brief kommt mit einem Tag Verspätung an, weil Maria eine falsche Postleitzahl geschrieben hatte. Andreas ist eine Woche lang auf Geschäftsreise im Ausland. Helga ruft ihn an und erzählt ihm von dem Brief. Er sagt, sie solle sich keine Gedanken machen und ihn mitbringen, wenn sie ihn am Freitag besucht.

Am Freitag treffen sich die beiden in der fremden Stadt. Sie verbringen einen wunderschönen Abend, essen in einem guten Restaurant und bummeln danach zurück zum Hotel. Vor dem Schlafengehen fällt Helga der Brief ein, aber sie holt ihn nicht aus ihrer Tasche, um den schönen Abend nicht zu verderben.

Er liegt im Bett und kann nicht schlafen. Er möchte aufstehen und den Brief öffnen, aber jedes Mal, wenn er aufstehen will, dreht sich seine Freundin im Schlaf um, und er will sie nicht aufwecken.

Am Samstag denken beide den ganzen Tag lang an den Brief, aber keiner von beiden schlägt vor, ihn zu öffnen. Am Sonntag nach dem Mittagessen, gerade als Helga sich fertig macht, um zum Bahnhof zu gehen, holt sie zufällig den Brief aus der Tasche, legt ihn auf den Tisch und läuft dann schnell weg. Draußen regnet es.

Er nimmt den Regenschirm und den Brief und läuft hinter ihr her. Am Marktplatz holt er sie ein. Sie ist wunderschön mit ihren nassen Haaren. Er denkt daran, dass seine erste Frau, Maria, niemals ohne Regenschirm gegangen wäre. Helga beruhigt sich, aber sie bemerkt, dass er den Regenschirm mitgenommen hat. Andreas gibt ihn sofort dem ersten Passanten, der keinen hat.

Nachdem er sie zum Bahnhof gebracht hat, schlendert er langsam durch die Straßen der fremden Stadt und hält ein paar Mal an, um etwas zu trinken. Im Hotel angekommen, öffnet er den Brief.

Der Brief bestätigt den Aberglauben der Menschen in diesem Land: Briefe verschlechtern sich, wenn man sie nicht sofort öffnet. Wie hat sich dieser Brief zum Schlechten verändert?
Das ist die Frage, die es zu lösen gilt.

Wie spät ist es?

Diese Geschichte ist in Deutschland vor einigen Jahren passiert. Gabriele geht in ein Restaurant und bestellt eine Erbsensuppe.

Als sie mit dem Essen fertig ist, bittet sie um die Rechnung. Die Erbsensuppe kostet 8 Euro.

Sie beginnt das Geld zu zählen und gibt es der Bedienung: „Eins, zwei, drei..." – Dann fragt sie: „Wie spät ist es?"

Die Bedienung sieht auf die Uhr: „Fünf Uhr", und Gabriele zählt weiter:
„sechs, sieben, acht."

Ein Mann am Nachbartisch beobachtet die Szene. Er nimmt sich vor, es genauso zu machen.

Er kommt am nächsten Tag zum Mittagessen und bestellt eine Erbsensuppe.

Als er mit dem Essen fertig ist, bittet er um die Rechnung: 8 Euro.

Er beginnt das Geld zu zählen und gibt es der Bedienung: „Eins, zwei, drei ..." – Dann fragt er: „Ach, wie spät ist es eigentlich?"

Die Bedienung sieht auf die Uhr: „Ein Uhr", und der Mann zählt weiter: „zwei, drei, vier, fünf, sechs, sieben, acht."

Wie viel Geld musste die Bedienung bei den beiden Gästen draufzahlen?

61 Von Mund zu Mund

GRAMMATIK:	Präteritum
NIVEAU:	★ ★ ★ ★
DAUER:	30 Min.
MATERIAL:	Eine Geschichte

VERLAUF:

1. Bieten Sie vier von Ihren leistungsstärksten Lernern eine etwa 15-minütige Übung an, die sie in einem anderen Raum ausführen.

2. Diktieren Sie der verbleibenden Gruppe eine kurze Geschichte, die ihrem Kenntnisstand entspricht. Hier ein Beispiel:

> *Vor 200 Jahren waren in Paris die Straßen voll von Menschen. Alle hatten Hunger. Die Menschen hatten die Fensterscheiben der Geschäfte eingeschlagen und Häuser angezündet, es war ein Volksaufstand. Ein Offizier kam, um die Gruppen von Aufständischen zu zerstreuen. Seine Soldaten trugen Gewehre. Es wurde still. Der Offizier stieg auf eine Mauer. „Männer und Frauen" rief er, „ich habe Befehl, auf die aufständische Menge zu schießen. Aber ich sehe nur ordentliche und anständige Menschen. Ich möchte, dass alle ordentlichen und anständigen Menschen diesen Platz verlassen, denn ich werde nur auf die Aufständischen schießen." Zwei Minuten später war der Platz leer.*

3. Vergewissern Sie sich, dass die Lerner jedes Wort in der Geschichte verstanden haben.

4. Erläutern Sie nun, dass diese Geschichte mehrfach erzählt werden wird und dass es Aufgabe der Gruppe ist, alle Abwandlungen, die sich bei den einzelnen Erzählversionen ergeben, wahrzunehmen und nach folgenden Kategorien – Sie schreiben sie an die Tafel – zu klassifizieren:

Hinzufügungen – Auslassungen – Veränderungen

5. Nun kommt der erste der vier Lerner (= Lerner A) in den Unterrichtsraum zurück. Einer der Lerner aus der Gruppe liest ihm die Geschichte zweimal vor. A darf ihm im Anschluss daran zwei Fragen zur Geschichte stellen.

Dann kommt der zweite der vier Lerner (= Lerner B) hinzu. A erzählt ihm die Geschichte so, wie er sie verstanden hat. B kann A ebenfalls zwei Fragen zur Verständnisklärung stellen.

Nun kommt Lerner C hinzu, hört sich die Erzählung von B an und stellt wieder zwei Fragen. Schließlich kommt Lerner D, C erzählt ihm die Geschichte, und D stellt wieder zwei Fragen.

Dann trägt D die nun schon mehrfach veränderte Geschichte der Gruppe vor, und zum Vergleich liest im Anschluss daran ein Gruppenmitglied die Originalversion noch einmal vor.

6. In der Zwischenzeit hat die Gruppe die einzelnen Veränderungen in den Erzählversionen vermerkt. Fragen Sie nach, was hinzugefügt, ausgelassen oder vollkommen verändert wiedergegeben wurde.

Idee: Diese Technik stammt von Patty Farrands und Helen Green, die Originalidee dürfte aber auf die 30-er Jahre (Frederick Bartlett) zurückgehen.

62 Grammatik-Quiz

GRAMMATIK:	Verschiedene Strukturen
NIVEAU:	★
DAUER:	20 Min.
MATERIAL:	Keines

VORBEREITUNG:

Bereiten Sie sechs Fragen zu bestimmten Grammatikthemen vor, die Sie behandeln wollen. Die Fragen sollten im Verhältnis zum Lernniveau der Klasse ziemlich schwierig sein.

Die nachfolgenden Beispiele sind für das erste, spätestens zweite Semester des ersten Lernjahres vorgesehen:

1. *Weil es so laut war, konnte ich die ganze Nacht nicht schlafen.* Wie nennt man die Zeitform, die hier verwendet wird?
2. Bilden Sie die Präsens- und Präteritumform von *nehmen* in der 1. Person Singular.
3. *Wir arbeiten seit drei Jahren in dieser Firma.* Richtig oder falsch?
4. Was ist der Unterschied zwischen *setzen, stellen, legen*?
5. Wie lautet der Imperativ (Du-Form) von *eintreten*?
6. Erklären Sie den Unterschied zwischen *gehen* und *fahren*.

Die Fragen sollten zum Teil Wiederholungscharakter haben und zum Teil neues Material enthalten und für die Lerner bewusst schwierig sein. Wenn Sie eine große Klasse haben, sollten Sie ein zweites Fragenpaket vorbereiten.

VERLAUF:

1. Die Lerner arbeiten in Paaren oder in Kleingruppen zusammen. Lesen Sie die Fragen laut vor. Schreiben Sie sie nicht auf, und erlauben Sie den Lernern nicht, die Fragen zu notieren. (Dies ist auch nicht nötig, weil die Fragen im Verlauf der Übung mehrmals vorgelesen werden.)

2. Fragen Sie die erste Gruppe, auf welche drei Fragen sie sich konzentrieren will, und bitten Sie sie, die Nummern, z. B. 2, 5 und 6, zu nennen. Auf Anfrage lesen Sie die Fragen nochmals vor.

3. Lesen Sie die drei ausgewählten Fragen vor, und bitten Sie die Gruppe, sie hintereinander zu beantworten. Wenn Sie die drei Antworten erhalten haben, sagen Sie, wie viele davon richtig sind, z. B. eine von dreien, ohne zu sagen, um welche es sich handelt.

4. Fragen Sie nun die nächste Gruppe, welche drei Fragen sie beantworten möchte, und gehen Sie analog vor. Sobald eine Gruppe alle drei Fragen richtig beantwortet, sprechen Sie darüber und geben die Antworten für alle sechs Fragen bekannt.

Hinweis: Diese Übung fördert Zusammenarbeit und Wettbewerb zugleich. Wenn die Fragen etwas zu schwierig für die Lerner sind, dauert es einige Runden, bis eine Gruppe drei richtige Antworten findet. Während dieser Zeit hören die Lerner intensiv den Erklärungen ihrer Kollegen zu und haben Zeit, über grammatische Zusammenhänge nachzudenken.

63 Die Frau auf dem Dach

GRAMMATIK:	Verschiedene Strukturen
NIVEAU:	★ ★
DAUER:	30–40 Min.
MATERIAL:	Keines

Hinweis: Diese Aktivität eignet sich nur für Lerngruppen mit derselben Ausgangssprache, insbesondere wenn die Ausgangssprache eine Form kennt (z.B. Gerundium), die es im Deutschen nicht gibt.

VERLAUF:

1. Fordern Sie die Lerner auf, aus zwei Blatt Papier 16 Streifen zu schneiden oder zu reißen.

2. Laden Sie sie dazu ein, die Augen zu schließen und sich eine Frau auf einem Dach vorzustellen.

3. Nach einiger Zeit bitten Sie sie, sich 16 verschiedene Erklärungen auszudenken, warum die Frau auf dem Dach sein könnte.

Jeder Satz wird auf einen Papierstreifen geschrieben, der erste auf Deutsch, der zweite in der Muttersprache der Lerner, der dritte wieder auf Deutsch usw. Weisen Sie die Lerner darauf hin, dass Sätze, die in ihrer Muttersprache das Gerundium enthalten, im Deutschen auf andere Weise wiedergegeben werden müssen. Hier ein Beispiel:

> Sie schläft.
> Está tomando el sol.
> Im Augenblick betrachtet sie die Sterne.

4. Während die Lerner ihre Sätze formulieren, gehen Sie umher, geben Hilfestellung und korrigieren, wo es nötig ist.

Da vermutlich viel neuer Wortschatz benötigt wird, ermutigen Sie die Lerner, das Wörterbuch zu benutzen. Die beste Gelegenheit, es zu verwenden, ist nämlich dann, wenn es gebraucht wird, und nicht dann, wenn es der Lehrer anordnet.

5. Wenn jeder Lerner mindestens zehn Sätze geschrieben hat, bitten Sie die ganze Gruppe, durch den Raum zu gehen und sich gegenseitig die Sätze zu zeigen. Ziel ist es, genaue Übersetzungen zu finden.

Die Lerner werden vielleicht mit Überraschung feststellen, dass auch jemand anders dieselbe Idee gehabt, sie aber mit anderen Worten ausgedrückt hat. Wenn Sie wollen, können Sie eigens darauf aufmerksam machen. Jedenfalls führt das Bemühen um angemessene Übersetzungen zu kontrastiver Sprachbetrachtung, zumal das Deutsche den Gebrauch des Gerundiums nicht kennt und eventuell zu anderen Ausdrucksmitteln greifen muss.

64 Die Welt der „MACHER"

GRAMMATIK:	Bedeutungen von *machen*
NIVEAU:	★ ★
DAUER:	40–60 Min.
MATERIAL:	Keines

Hinweis: Diese Aktivität ist besonders für Lerngruppen mit derselben Ausgangssprache geeignet. Bei Gruppen mit unterschiedlichen Ausgangssprachen können sich im vierten Arbeitsschritt Lernende mit derselben Muttersprache zu Kleingruppen zusammenfinden.

VERLAUF:

1. Bilden Sie Kleingruppen und lassen Sie die Lerner Anwendungsbeispiele für das Verb *machen* finden.

2. Bitten Sie jede Gruppe, einen „Botschafter" in die Nachbargruppe zu schicken, um gute Ideen weiterzugeben.

3. Diktieren Sie dann folgende Sätze, die die Lerner in ihrer Muttersprache niederschreiben. Bestehen Sie darauf, dass die Sätze nicht auf Deutsch, sondern nur in der muttersprachlichen Entsprechung notiert werden:

> Was machst du am Sonntag?
> Wir machen uns große Sorgen um Klaus.
> Hast du schon die Betten gemacht?
> Das macht doch nichts.

> Mach's gut!
> Er macht sich nicht viel aus Süßigkeiten.
> Das Kind macht uns viel Freude.
> Das macht Spaß!
> Mach schnell, der Zug fährt in 10 Minuten.
> Was macht denn eigentlich deine Schwester?
> In seiner Freizeit macht er Musik.
> Mach dir keine Umstände.

4. Bitten Sie die Lerner, Dreiergruppen zu bilden und ihre Übersetzungen zu vergleichen. In wie vielen Fällen wurde *machen* mit „to do, faire, hacer, fare..." übersetzt?

VARIANTE:

Dieselbe Aktivität lässt sich mit dem Verb *tun* durchführen. Hier eine Sammlung von Beispielen:

> Mein Mann hat diese Woche viel zu tun.
> Tust du Milch in den Kaffee?
> Mir tut der linke Fuß weh.
> Kann ich etwas für sie tun?
> Wir wollen mit diesen Leuten nichts zu tun haben.
> Das tut nichts zur Sache.
> Sie tut so, als ob sie nichts davon wüsste.
> Es tut mir wirklich Leid.
> In letzter Zeit hat sich in unserer Firma viel getan.
> Wir haben alles getan, um die Maschine zu reparieren.

65 Welcher Satz ist falsch?

GRAMMATIK:	Verschiedene Strukturen
NIVEAU:	★ ★ ★
DAUER:	15–30 Min.
MATERIAL:	Ein Testbogen mit richtigen und falschen Übersetzungsbeispielen

VERLAUF:

1. Lassen Sie Zweiergruppen bilden, und geben Sie jedem Paar einen Testbogen (Kopiervorlage 38).

Es geht darum, dass die Lerner die richtigen Sätze herausfinden. Machen Sie sie darauf aufmerksam, dass meist nur ein Satz sprachlich und inhaltlich falsch ist, dass es aber auch mehrere sein können und es sogar vorkommt, dass alle angebotenen Sätze richtig sind.

2. Bitten Sie die Lerner, während der Übung zwei- bis dreimal ihren Partner zu wechseln. Verfolgen Sie den Übungsablauf aufmerksam, aber helfen Sie den Lernern *nicht*, selbst wenn sie Sie darum bitten. Bei dieser Aktivität müssen die Lerner nämlich selbst überprüfen, in wie weit ihnen strukturelle Besonderheiten des Deutschen bewusst sind.

3. Bitten Sie dann einen Lerner, die richtigen Sätze an die Tafel zu schreiben. Geben Sie Gelegenheit zur Diskussion, wenn Unsicherheiten bestehen. Greifen Sie aber möglichst nicht in das Gespräch ein. Was sich die Lerner gegenseitig erklären, bleibt nämlich in ihrem Gedächtnis weitaus besser haften als das, was Sie ihnen zu verdeutlichen versuchen!

Lösung:
Folgende Sätze sind falsch: 1c) – 2 alles richtig – 3c), – 4d) – 5b) – 6 alles richtig.

1. a) Die Universität Heidelberg zählt zu den ältesten Universitäten Deutschlands.
   b) Die Universität Heidelberg zählt zu den ältesten deutschen Universitäten.
   c) In Deutschland Heidelberg hat eine der am ältesten Universitäten.
   d) Heidelberg hat eine der ältesten deutschen Universitäten.

2. a) Ich fand meinen treuen Hund, der vor der Tür auf mich wartete.
   b) Ich fand meinen treuen Hund vor der Tür, der auf mich wartete.
   c) Vor der Tür ich fand meinen treuen Hund, der auf mich wartete.
   d) Ich fand vor der Tür meinen treuen Hund, der auf mich wartete.

3. a) Letzte Woche habe ich mein Fahrrad einem Studienfreund verkauft.
   b) Ich habe mein Fahrrad letzte Woche einem Studienfreund verkauft.
   c) Letzte Woche habe ich mein Fahrrad an einem Studienfreund verkauft.
   d) Mein Fahrrad habe ich letzte Woche an einen Studienfreund verkauft.

4. a) Hast du diese Woche gar keine Zeit für einen Stadtbummel?
   b) Hast du diese Woche eigentlich gar keine Zeit mehr für einen Stadtbummel?
   c) Hast du denn diese Woche gar keine Zeit für einen Stadtbummel?
   d) Hast du noch diese Woche gar keine Zeit für einen Stadtbummel?

5. a) Zum Fußballstadion müssen Sie die Straßenbahn Linie 4 bis zur Endstation nehmen.
   b) Zum Fußballstadion Sie müssen die Straßenbahn Linie 4 bis nach Endstation fahren.
   c) Zum Fußballstadion müssen Sie mit der Straßenbahn Linie 4 bis zur Endstation fahren.
   d) Sie müssen zum Fußballstadion mit der Linie 4 bis Endstation fahren.

6. a) Rechts neben der Tür steht ein großer Tisch mit einer alten Lampe darauf.
   b) Ein großer Tisch mit einer alten Lampe darauf steht rechts neben der Tür.
   c) Rechts neben der Tür steht ein großer Tisch und darauf eine alte Lampe.
   d) Ein großer Tisch steht rechts neben der Tür und darauf eine alte Lampe.

66 Schriftliche Gespräche

GRAMMATIK:	Verschiedene Strukturen
NIVEAU:	★ bis ★★★★
DAUER:	30–40 Min.
MATERIAL:	Keines

Hinweis: Diese Aktivität ist besonders für Lerngruppen mit derselben Ausgangssprache geeignet, zumindest sollten aber 2 Personen pro Muttersprache vorhanden sein.

VERLAUF:

1. Bitten Sie die Lerner, sich einen Partner oder eine Partnerin zu suchen.

2. Erklären Sie, dass es darum gehen wird, mit dem Partner eine schriftliche Konversation nach folgendem Modell zu führen:

Beide nehmen ein Blatt zur Hand und schreiben einen deutschen Satz (möglichst eine Frage) darauf.

Dann tauschen sie die Blätter aus, übersetzen die Frage des anderen in ihre Muttersprache und fügen eine Antwort in ihrer Muttersprache hinzu.

Dann werden die Blätter wieder getauscht, der letzte Satz wird ins Deutsche übersetzt und eine neue Frage auf Deutsch gestellt.

Dieses schriftliche Gespräch könnte beispielsweise so beginnen:

Lerner A schreibt: *Was sollen wir tun?*

Lerner B schreibt: *What shall we do?*
We have to write each other.

Lerner A schreibt: *Wir sollen einander schreiben.*
Was machst du heute Abend?

In der Zwischenzeit gehen Sie umher und helfen beim Übersetzen, wenn es nötig ist.

3. Bitten Sie die Lerner, Sechsergruppen zu bilden und sich gegenseitig die Gespräche vorzulesen. Gegebenenfalls bietet sich dabei Gelegenheit, sich Gespräche mit Sprechern anderer Ausgangssprachen anzuhören.

Hinweis: Bei dieser Übung werden die Lerner strukturelle Unterschiede zwischen dem Deutschen und ihrer Muttersprache feststellen. Außerdem fördert diese Aktivität das aufmerksame Zuhören. Die eigene Antwort darf nämlich erst gegeben werden, wenn der Satz des Partners übersetzt und damit durchdacht ist – eine ausgezeichnete Übung für alle, die nicht genügend darauf achten, was andere sagen!

VARIANTE:

Führen Sie die Übung wie oben beschrieben durch. Anstelle zu übersetzen, müssen die Lerner aber paraphrasieren. Diese Übungsvariante ist dazu geeignet, die Ausdrucksmöglichkeiten fortgeschrittener Lerner zu vergrößern und zu differenzieren.

Idee: Dierk Andressen

Register

… Appetit bekommen?
Hier kommt noch mehr Abwechslung
für Ihren Speiseplan …

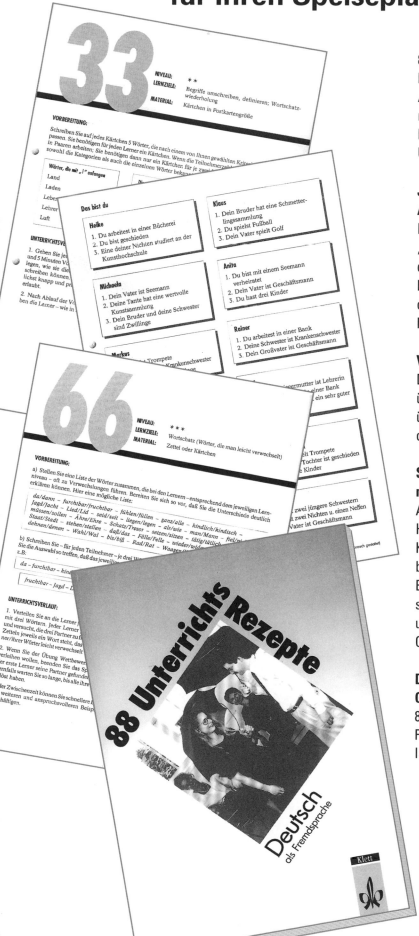

88 Unterrichtsrezepte Deutsch als Fremdsprache bietet Ihnen ebenfalls Anregungen für einen abwechslungsreichen Unterricht – von „Fastfood" bis zu Hauptgerichten, die eine ganze Unterrichtseinheit füllen.

Jedem Gang seine gebührende Aufmerksamkeit.

Bei der Zusammenstellung dieses „Kochbuchs" wurde darauf geachtet, dass alle Fertigkeiten in dem ihnen gebührenden Maß berücksichtigt werden. So wird der Umgang mit der Fremdsprache mehrgleisig eingeübt.

Vorwiegend leicht verdaulich.

Die Unterrichtsrezepte erstrecken sich über vier Schwierigkeitsstufen. Weit über die Hälfte der „Gerichte" sind für die ersten beiden Lernjahre geeignet.

Streng nach Rezeptbuch oder frei nach Bocuse?

Auch in diesem Buch gibt es präzise Hinweise und gebrauchsfertige Kopiervorlagen, die Sie fast ohne Vorbereitung servieren können.
Es steht Ihnen aber auch frei, die Vorschläge nach Belieben zu variieren, um sie auf das Niveau und den Geschmack Ihrer Gäste abzustimmen.

Die Menüauswahl ist groß.
Greifen Sie zu!

88 Unterrichtsrezepte Deutsch als Fremdsprache
ISBN 3-12-768790-7